POUR GARDER
SA ZÉNITUDE

Fanny Dalbera

« L'apaisement réside
en chacun de nous. »

Le dalaï lama

Ben, justement, il est où chez moi ? Je n'arrête pas de le chercher...

ZEN, MOI ?

On rêve toutes d'être absolutely zen. Pourtant, une petite voix intérieure nous souffle que réciter des mantras dans un dojo tristounet de Grandcalme-sur-Yvette, assise dans la position du lotus sans boire autre chose qu'un exquis petit jus de mâche, c'est... comment dire... pas vraiment notre karma. Un stage de moine bouddhiste, ça doit dépoter, c'est sûr. Mais d'abord on n'a pas vraiment le temps, et ensuite on ressent comme une pointe d'inquiétude. Peut-on toujours ambitionner une existence vibrante (et éventuellement opter pour un look over-dressed à paillettes) quand on se dirige tout doucement vers le nirvana ?

Eh bien, c'est absolutely faisable ! Petits et grands plaisirs de nos vies survoltées et hyperactives ou encore mégabranchées sont d'autant plus appréciables qu'on les aborde... déstressées. L'idée, donc, ce serait plutôt de (re)trouver un peu de zénitude sans perdre sa péchitude. Go !

ABSOLUMENT ZEN ***

DU BOUDDHISME
À LA MAISON ?

* PRÉCISION UTILE :
C'EST QUOI LE ZEN ?

C'est une vieille histoire, puisque cette école de méditation rigou-
reusement ascétique est née il y a plus de quatorze siècles en Asie.
Voyageant d'Inde en Chine, elle s'est surtout implantée au Japon
où le zen fut alors pratiqué par des moines à la recherche de la
sagesse. C'est une composante indissociable de la philosophie
bouddhiste. Prônant une grande simplicité de vie, ses adeptes
pratiquent le zazen, c'est-à-dire le fait de s'asseoir en silence et de
méditer pour atteindre (éventuellement) l'Illumination. En chemin,
au XXe siècle, le zen est venu se promener du côté des rives occi-
dentales grâce à Maître Taisen Deshimaru dont la mission très
officielle était d'initier l'Europe à sa pratique. Chose faite ! Depuis,
le zen a entrepris un plus grand voyage encore. Au-delà d'une
démarche philosophique, il est devenu une expression courante qui
désigne une manière d'être, un mode de vie. Être zen aujourd'hui...

···> **Ce n'est donc pas...**
* Regarder chéri bouder dans la position du poirier en espérant que ça
  l'apaisera.
* Sortir son tapis mousse spécial yoga, son masseur de tête et enfiler
  son jogging mou à la moindre contrariété au bureau.

* Psalmodier sans discontinuer, en guise de mantra : « Tout va bien ! » devant un quai de RER inaccessible un jour de grève.
* Espérer gommer ses soucis par magie : « Mais qui m'a piqué mes clés ? Oh, elles se sont encore envolées ! » Pas impossible qu'il y ait un bonze facétieux dans votre entourage proche, mais c'est tout de même peu probable.

···⟩ **Ce serait plutôt...**
* **Affronter ce qui nous dérange sans se précipiter,** analyser avant d'agir, se garder de crier trop vite, détendre ses cervicales avant de se jeter dans une bataille, bref ce qu'on fait déjà naturellement. Mais qu'un tout petit peu...
* **Adopter une position de calme amusé :** « Le dossier Vireaucauchemar revient ? Mais c'est très bien, je comptais justement prendre un jour de RTT... Allez, mais non, je rigole ! » Vive la distance !
* **Examiner avec une bienveillance impassible** les gesticulations effrénées de nos proches. Chéri vous honnit pour votre quart d'heure de retard chronique ? C'est son problème de ne pas l'anticiper, non ?

Bref, être soi, en douceur, sans rien faire de plus que ce qui est nécessaire !

LA MÉCANIQUE DU **STRESS**

*Être soi, en douceur, on veut bien !
Problème : on dirait que les autres
le désirent moins.*

Difficile de prendre de la distance par rapport aux petits et grands tracas du quotidien. Résultat ? On se retrouve, malgré nos bonnes intentions (« Cette fois-ci, j'y vais mollo »), prises dans l'épouvantable engrenage du stress. Résultat bis ? On ne se reconnaît pas dans nos réactions (« Mais pourquoi j'ai encore pété un plomb ? »).

✳ QU'EST-CE QUI SE JOUE ?

* Notre organisme répond à trop de sollicitations négatives et mobilise tout ce qu'il peut pour y faire face.
* À force, il s'épuise.
* Chacun de nous a sa manière propre d'exprimer cet épuisement, certains sont dans une surexcitation permanente, une agitation psychique et physique totale, d'autres prennent la tangente et se réfugient dans le sommeil, la fatigue, l'inaction.

= Dans tous les cas, le stress induit la sensation de perdre le contrôle de son existence et le sentiment d'échouer, là où on aurait tant aimé réussir.

Et en plus tout le monde s'en mêle !

Difficile de garder son calme quand de surcroît rien n'y aide vraiment. Avez-vous remarqué toutes ces choses qui favorisent le développement de notre ennemi ? Suivez le guide :

⋯⋗ Les petits riens qui envahissent

Une mauvaise hygiène de vie et c'est le stress qui met les bouchées doubles. Jugez-en vous-même avec la malbouffe, les régimes intempestifs, les soirées Tequila Sunrise, les crises de gourmandise (la plaquette de chocolat suivie d'un riz au lait), les excès de médocs, sans compter quelques cigarettes toujours en trop.

Vous voulez compléter la liste ?
Allez tout de suite page 17, sinon poursuivez tranquillement votre lecture (ça, ce serait vraiment zen !).

⋯⋗ Les plus qui totalisent moins

On cède vite à la culture de la performance, louable parfois, destructrice souvent quand on accumule trop de travail, pas assez de sommeil ou l'inquiétude de ne pas y arriver. Sans compter le harcèlement des collègues, du patron, de la famille, du banquier...
STOP !

ET MOI, QUEL GENRE DE STRESSÉE SUIS-JE ?

Avouez-le ! Vous ne souffrez pas vraiment de migraines, mais vous comptabilisez une vraie prise de tête par jour que même un gros cachet d'aspirine ne soulage pas. Vous n'êtes pas vraiment sur le point d'entamer une procédure de « speed divorce », mais il suffit d'une bonne dispute pour que vous remettiez tout en cause... Autrement dit, ce verre à moitié vide et à moitié plein sous vos yeux gâche votre quotidien et vous donne l'impression d'être harassée par la fatigue et gagnée par l'énervement ou l'irritabilité. Bref, vous êtes envahie d'émotions polluantes, pas du tout épanouissantes, et il vous semble impossible de les chasser.

❋ **FAITES UNE PAUSE :**

Évaluez votre état d'esprit du moment pour déterminer de quelle manière vous stressez :

Prenez un crayon, rapprochez-vous de vos sensations et cochez les cases qui vous correspondent en pages suivantes.

MÊME PAS MAL, **L'ÉVALUATION !**

Vous avez les épaules au niveau des oreilles.
OUI/NON

Vous dormez les doigts de pieds en éventail.
OUI/NON

Vous comptez déjà quelques cheveux blancs.
OUI/NON

Le dos bloqué, vous connaissez ! Mais pas tous les jours, naturellement...
OUI/NON

Il vous faudrait une heure de plus le matin (voire deux) pour ne pas bâiller à l'heure du goûter.
OUI/NON

Impossible de démarrer les vacances sans une petite maladie, histoire de fêter ça !
OUI/NON

Dingue comme votre estomac vibre : gargouillis, pincements, ballonnements... Il vous en fait voir.
OUI/NON

Être en retard, ça vous angoisse.
OUI/NON

Difficile de vous débarrasser de vos soucis, même le week-end.
OUI/NON

Vous pouvez être hargneuse, sans trop de raisons.
OUI/NON

Réveillée à quatre heures du mat', ça vous arrive (souvent).
OUI/NON

Parfois l'envie vous prend de ne plus rien faire du tout, du tout...
OUI/NON

Votre dernière crise de fou rire ? Hier, justement !
OUI/NON

Vous aimez trop votre chez-vous pour avoir envie de sortir.
OUI/NON

✳ FAITES VOS COMPTES

···❭ **Vous avez plus de trois réponses positives, côté physique ?**
Votre stress peut bien se cacher à votre vue ; votre corps, lui, l'a parfaitement perçu. Petits maux divers et variés se manifestent fort à propos pour vous rappeler que face aux agressions vous ne pouvez que réagir. Quitte à en tomber malade ? Parfois ! Soyez donc à l'écoute de ces signaux discrets. Et si les symptômes persistent, n'hésitez pas à consulter, sans oublier de prendre une petite louche de zénitude. Cela ne peut pas faire de mal.

···❭ **Vous avez plus de trois réponses positives, côté psychique ?**
Entre énervements et épuisements, que choisir ? Allez, vous prenez les deux ! En tout cas, vos agissements prouvent que vous n'affrontez pas le quotidien dans un état d'esprit parfaitement détendu (tiens donc ?). Ne négligez pas ces manifestations d'agacement. Elles ne sont pas dues qu'aux circonstances. Votre manière d'aborder les choses signifie que vous avez besoin d'un grand bol de calme. Pour (re)voir la vie en rose ?

« En vérité, le chemin importe peu,
la volonté d'arriver suffit à tout. »

Albert Camus

VOUS PRENDREZ BIEN
UNE ÉCHELLE ?

Pour les pragmatiques, et toutes celles qui ont envie de se faire une petite idée de leur état de stress (ainsi que celles qui ont une petite tendance au masochisme), il existe **l'échelle de Holmes et Rahe.** Conçue en 1967, elle répertorie quarante-trois situations réputées stressantes. Les deux chercheurs les ont affublées d'un système de points. Il suffit donc d'additionner tous les points correspondant à tous les événements préoccupants rencontrés dans une année pour mesurer le niveau de stress auquel on aurait été soumis. Théorique mais pratique.

LES ÉVÉNEMENTS DE LA VIE	LES POINTS
1. Décès du conjoint	100
2. Divorce	73
3. Séparation	(65)
4. Emprisonnement	63
5. Décès d'un proche	63
6. Blessure ou maladie grave	53
7. Mariage	50
8. Perte de situation	(47)
9. Réconciliation conjugale	45
10. Retraite	45
11. Maladie dans la famille	44
12. Grossesse	40
13. Problèmes sexuels	(39)
14. Naissance	39
15. Réorganisation professionnelle importante	39
16. Fluctuation de la situation matérielle	(38)
17. Décès d'un ami proche	37
18. Changement d'orientation professionnelle	36
19. Conflit avec le conjoint	35
20. Hypothèque importante	31
21. Emprunt important	(30)
22. Modification des responsabilités professionnelles	29
23. Départ d'un enfant de la maison	29
24. Difficultés avec la belle famille	29
25. Succès personnel éclatant	28

26. Arrêt d'activité du conjoint 26
27. Début ou fin des études 26
28. Changement des conditions de vie 25
29. Modification des habitudes personnelles 24
30. Difficultés avec son supérieur 23
31. Modifications des conditions de travail 20
32. Déménagement 20
33. Changement d'école 20
34. Nouveaux loisirs 19
35. Changement de pratiques religieuses 19
36. Modification des activités sociales 18
37. Hypothèque ou emprunt modéré 17
38. Altération du rythme du sommeil 16
39. Changement de fréquence des réunions familiales 15
40. Changement d'habitudes alimentaires 15
41. Voyage ou vacances 13
42. Noël 12
43. Infraction mineure à la loi 11

PRÊTE POUR LES RÉSULTATS ?

Vous avez vérifié vos calculs ? Ce que vous pouvez en déduire :

⤳ Vous avez moins de 150 points ?
Vous avez indéniablement été exposée à une certaine dose de stress cette année. Mais rien d'accablant, elle reste modérée. À prendre toutefois en compte dans votre hygiène de vie si vous ne voulez pas en faire une petite maladie.

⤳ Vous avez entre 150 et 300 points ?
Votre compte est bon côté stress, vous en avez particulièrement bavé cette année. Selon l'échelle de Holmes et Rahe, à ce niveau-là, le risque de développer une maladie liée au stress est de 50 %. Non négligeable, donc. C'est le moment de se chouchouter...

⤳ Vous avez plus de 300 points ?
Attention, votre taux d'exposition au stress est tel que vous pourriez en tomber malade. Pas de panique, on l'a bien précisé, tout cela est théorique ! Néanmoins, il est fort probable que ces événements auront des répercussions sur votre état général. Il serait bon d'être attentif à soi.

PAS DE QUOI **S'INQUIÉTER !**

Alors, alarmant le tableau de la parfaite stressée ? À force de calculs, l'angoisse monte-t-elle ? Soufflez un bon coup, parce que, en réalité, il n'y a pas de quoi s'en faire (tant que ça) :

※ Nu-an-cez (ça rend la vie plus jolie)

* N'oubliez pas que le stress est une composante fondamentale de notre existence. Il a cette grande vertu de nous alerter face au danger et donc de nous mettre en situation d'y répondre. Une sorte de vigie personnelle et portative pour nous permettre de nous adapter à notre environnement parfois hostile. Le stress est donc in-dis-pen-sa-ble !

* Ensuite gardez bien à l'esprit que le stress est loin d'être une fatalité. Eh oui, il se maî-tri-se !

On va même s'employer à vous donner tous les outils pour maintenir la bête à bonne distance.

ON CULTIVE
SON JARDIN ZEN

Retrouver un peu de sérénité si vous vous sentez chamboulée, cela permet de se protéger des méfaits du stress :

* soulager son cœur ;

* éviter les poussées d'herpès, d'eczéma et autres manifestations cutanées ;

* garder tous ses cheveux ;

* et ne pas passer pour un monstre parce qu'on vient juste d'envoyer paître une collègue de bureau qui venait proposer une jolie part de gâteau (et même que c'était elle qui l'avait fait !).

Pour obtenir tous ces bienfaits, mieux vaut s'entourer de quelques indispensables qui aideront à retrouver le calme (et l'amabilité).

✳ COMPOSEZ VOTRE BOÎTE À OUTILS ZEN :

⋯▸ **Dédiez une pièce (ou un petit coin de pièce) au repos de l'esprit et du corps** quand vous avez besoin de vous retrouver. La chambre est généralement tout indiquée, mais ce pourrait être aussi la salle de bains ou une petite alcôve dans un salon, du moment que vous pouvez vous isoler dans ce lieu quelques minutes.

┉┅> **Entourez-vous d'objets apaisants,** style votre doudou préféré (ah ! vous ne l'avez pas gardé ?), des images qui font voyager (un beau visage, un paysage vu du ciel…), ou un coussin soyeux au toucher.

 α┉┅> **Offrez-vous un recueil de citations tranquillisantes** où piocher des pensées positives, comme *Le Livre de la sagesse* d'Yveline Brière (éd. Librio). À moins que vous ne préfériez composer votre propre recueil en vous baladant sur Internet ? Allez sur www.evene.fr, le site des citations. Tous les thèmes sont abordés et rien n'interdit de faire un détour par les aphorismes de Woody Allen ou les impertinences de Groucho Marx. Sans omettre une petite visite sur www.onelittleangel.com, les philosophies du monde entier y sont recensées sous forme d'extraits.

┉┅> **Nourrissez-vous de sons relaxants** comme une musique douce spécialement conçue pour apaiser le corps et l'esprit. Tous les éditeurs de musique sortent régulièrement des compilations zen. Vous trouverez des sélections bien ciblées dans les magasins Nature et Découvertes (www.natureetdecouvertes.fr). Mais un son léger et court peut suffire à installer une ambiance propice à la détente comme celui d'un carillon ou d'un gong.

┉┅> **Créez une ambiance olfactive rassurante.** Choisissez des encens inspirants. Sur le site Les encens du monde (www.encensdumonde.fr), vous pouvez sélectionner celui qui vous conviendra en fonction de la saison, de la pièce où il brûlera et de l'effet recherché. Ou bien allumez une bougie correspondant aux sensations qui vous rassurent : une odeur de maison douce (Feu de bois chez Diptyque, www.diptyqueparis.com), une saveur d'enfance (Bonbons de Zenadora, www.zenadora.fr), une brise de fraîcheur (Rose du matin chez Esteban, www.esteban.fr)...

⋯▹ **Savourez l'instant** en vous réchauffant d'une tasse de thé ou d'une tisane épicée.

⋯▹ **Émerveillez-vous** de la délicatesse d'un bouquet ou d'une simple fleur coupée.

Comment, M. Truchon ?!...
Vous savez très bien que je suis TRÈS stressée, et vous venez me parler de vos petites histoires d'AGIOS ?!!
Vous voulez que je PLEURE, c'est ça ?!...

TEST ÉVALUEZ VOTRE POTENTIEL DE ZÉNITUDE

Pour découvrir le chemin qu'il vous reste à parcourir vers un fort degré de zénitude, répondez à ces dix questions. Pour ce faire, commencez par arrêter de mâchouiller votre crayon (zen, on a dit !).

1. Dans une autre vie, vous aimeriez bien être ?
   a. Fakir ◆
   b. Dalaï lama ❖
   c. Icône fashion ★

2. « Dé-bor-dée ! » Vous le répétez ?
   a. Au moins une fois par jour ★
   b. Tous les trois mois ◆
   c. La veille de Noël (tous ces cadeaux...) ❖

3. Faire le vide autour de vous, ce serait plutôt :
   a. Une retraite silencieuse (« Une heure, ça peut suffire ? ») ❖
   b. Éliminer le surplus de vos placards (« Le glitter, ça ne se porte plus, non ? ») ★
   c. S'alléger des relations inutiles (« Surtout cette crampon de Carla à la compta ! ») ◆

4. Côté bonnes résolutions, vous mettriez bien dans votre liste :
   a. Ne plus s'emporter ◆
   b. Ne plus chercher à tout maîtriser ❖
   c. Ne plus se disperser ★

5. Vous vous trouvez au mieux de votre forme dans :
   a. Un jogging vintage ★
   b. Des Repetto ❖
   c. Un top hippie love ◆

6. Amour, famille, travail... L'idéal serait :
   a. De tout réussir ❖
   b. D'atteindre l'équilibre ◆
   c. D'ajouter la prospérité ★

7. Un samedi réussi est composé :
   a. De mini-pauses, maxi-sorties ★
   b. D'amis, d'amis, encore d'amis ❖
   c. D'un peu de tout, plus du repos ◆

8. Grosse bourde au bureau. Vous réagissez :

    a. « Allô SOS coach, résultats garantis à 100 %. » ♣

    (b.) « En se débrouillant bien, personne ne le verra. Enfin, peut-être... » ★

    c. « Un rapport de trois pages pour s'expliquer, ça devrait le faire ? » ♦

9. Expo Jackson Pollock. Réaction :

    (a.) « Vue sur un autre monde. » ♣

    b. « Ça pulse ! » ♦

    c. « Que du gribouillage ! » ★

10. Une odeur préférée ? Celle :

    (a.) Du citron frais ★

    b. De l'herbe coupée ♦

    c. D'un nuage ♣

LE CHEMIN EST PARFOIS LONG,
MAIS LE PAYSAGE TOUJOURS ATTRAYANT

Résultats en trois profils
Pour connaître la distance qui vous sépare d'une zénitude resplendissante, comptabilisez vos ◆, vos ✤ et vos ★.

⋯⋗ **Vous avez une majorité de** ✤ 4
Vous êtes zen aux trois quarts. Le nirvana n'est pas encore là mais vous entrevoyez le chemin pour y parvenir. Pas mal du tout ! Vous prenez la vie plutôt détendue, si ce n'était cette pointe d'inquiétude à l'idée de ne pas y arriver (au nirvana). Trop perfectionniste ? C'est d'ailleurs là que le bât blesse, peut-être ? Votre désir d'absolue perfection vous met parfois la pression. Il vous reste donc encore quelques pas à accomplir.

Le secret zen
Ne pas vouloir trop en faire. Être zen, c'est aussi se sentir bien, même quand tout ne fonctionne pas à la perfection.

⋯⋗ **Vous avez une majorité de** ◆ 3
Vous êtes zen à demi. La volonté y est, la pratique manque. Vous êtes divisée entre vos intentions (« Là, il faut que je reste calme ») et les situations concrètes (« Là, ça ne va pas le faire ! ») qui vite vous dépassent et même vous débordent. Vous détestez perdre pied ? Pourtant l'essentiel est là : la moitié du chemin est déjà balisée. Il ne reste plus qu'une autre moitié, vite avalée avec un peu d'exercice.

Le secret zen

Ne pas confondre précipitation et action. On vous l'a déjà dit, non ?

⋯⋙ **Vous avez une majorité de** ★ ⒉

Vous êtes zen un quart. C'est comme si tout vous empêchait de l'être (zen). Pourtant, si vous deviez faire un vœu, ce serait de voir la vie avec plus de sérénité. En attendant, vous vous sentez trop prise par le vent, les soucis, les ambitions… toutes ces choses qui vous éloignent un peu plus de la quiétude. Mais pas de crainte, vous êtes partante et cela suffit pour entrevoir le chemin qui reste à parcourir et comment y courir.

Le secret zen

Ne rien attendre, tout arrive à point nommé. Si, si !

ON DÉCOUPE
LA MONTAGNE

☀ LE BUT ?

☀ ÉLIMINER LE PRINCIPAL OBSTACLE
À UNE ZÉNITUDE DÉCONTRACTÉE

Au fond, qu'est-ce qui nous empêche d'être zen ?

⋯⟫ On prend toutes nos difficultés en un seul bloc.

☀ RÉSULTAT ?

⋯⟫ Face à cette montagne de soucis infranchissable, on recule.
Alors que si on la découpait en tranches...

En effet, comment aborder avec sérénité la vie quand on affronte dans une même journée un compte en banque dans le rouge, une mère flippée, des enfants trop gâtés, un patron exigeant ou un copain irrité ? (liste naturellement établie au hasard). On se replie sur ses vieux réflexes : on se fabrique un petit ulcère, on sollicite abondamment ses cordes vocales et parfois on reste coincée au lit, la faute à un terrible torticolis (liste également établie au hasard).

Peut-on s'y prendre autrement ?

NOTRE **SUGGESTION**

Sur une feuille de papier, dressez la liste de tous les rôles que vous tenez au quotidien, comme par exemple :

* charmante compagne,
* parfaite gestionnaire,
* sensible amie,
* gentille fille,
* exquise cuisinière,
* excellente travailleuse,
* curieuse intellectuelle,
* énergique sportive,
* bonne mère,
* irréprochable planificatrice de vacances...

À vous de compléter en fonction de vos centres d'intérêt, de votre entourage, de votre situation professionnelle...

Ensuite, toujours sur une feuille de papier, établissez une sorte d'état des lieux pour chacun de vos rôles. Par exemple, au chapitre « Énergique sportive », où en êtes-vous ? Oublié le renouvellement de l'abonnement à la salle de gym ? Commencé le cours Pilates ?

⋯⟩ **Le bilan est plutôt positif ?**

Super ! Réjouissez-vous de ce que vous avez réalisé. On a toujours tendance à négliger les points positifs. Or cela fait tellement de bien de s'appuyer sur ce qu'on a réussi !

⋯⟩ **Le bilan est plutôt négatif ?**

Reprenez les points qui vous semblent toujours importants (« exquise cuisinière », par exemple. Si vous ne l'êtes pas ce mois-ci, est-ce si grave ?). Pour les rôles qui vous semblent essentiels, fixez-vous un objectif atteignable sans fournir d'efforts démesurés, comme toujours pour notre « énergique sportive », par exemple : renouveler l'abonnement à la salle de gym le... et inscrire la date noir sur blanc.

✳ L'EFFET ZEN

* On visualise le chemin à parcourir pour chacun de ses rôles, ce qui permet d'avoir une idée plus objective de sa situation.
* On anticipe mieux ce qui nous reste à accomplir.
* Et on ne s'épuise pas en efforts inutiles pour obtenir ce dont, en réalité, on n'a pas besoin (ça soulage).

C'est tellement plus simple !

SUS AUX
STRESSEURS !

On apprend à les repérer pour mieux les désamorcer.
Eux non plus n'arrangent pas notre situation. Et si on les renvoyait à
leurs petits défauts ?

✳ INVENTAIRE

⋯⟶ **La copine ultra exigeante.** Pas le droit à l'erreur avec elle.

Le problème ? Elle vous fait passer pour une quiche.
La solution : Accepter nos imperfections (ça va la faire bisquer).

⋯⟶ **Le boss sinistre.** Remercier, il ne sait pas !

Le problème ? Ça démotive fortement !
La solution : Lui renvoyer un miroir de compliments (ça devrait le
gêner).

⋯⟶ **La collègue qui abuse.** Elle a encore un petit service à vous
demander...

Le problème ? Lui dire « non », c'est trop anxiogène.
La solution : Botter en touche, lui proposer une autre solution :
« Je ne pourrai pas, mais... »

⋯⃗ **Le chéri dépendant.** Il ne sait toujours pas où se trouve la machine à laver (ni comment elle marche).

Le problème ? On ne croit plus qu'il serait plus facile de tout faire soi-même.

La solution : Apprendre à lever le pied. Après le dîner, on reste assise mais on lui indique le chemin jusqu'à la machine. À faire progressivement.

LES PATCHS **RELAXANTS**

Plus ou moins naturellement fortiches en zénitude, on a toutes nos manières de répondre à une petite surdose de stress. En attendant d'entamer un vrai programme « déstress », voici quelques patchs pour se soigner illico presto sans y passer toute la soirée quand...

✳ JE PARS EN VRILLE
QU'EST-CE QUI SE JOUE ?

Une grosse urgence au bureau, la boîte mail « spamée », impossible de joindre l'ingénieur réseau et l'horrible Carla qui, devant la machine à café, vous fait une remarque sur votre jupe toute neuve : « C'est quoi cette couleur ? Épinards mâchés ? » Et vous voilà hurlant à l'horrible Carla que c'est sa tête de veau qui va faire épinards mâchés si elle continue comme ça ! Bref, vous manquez d'un peu de maîtrise, et d'air aussi.

LE PATCH

Reprendre le contrôle de sa respiration en la ralentissant pour apaiser les tensions intérieures et le rythme cardiaque qui s'emballe. Comment ? Expirez doucement, sans excès musculaires. Retenez un très court instant votre respiration. Inspirez tout doucement. Retenez à nouveau votre respiration un très court instant avec l'air qui emplit vos poumons. Expirez doucement. À pratiquer plusieurs fois dans la vie de tous les jours, mais en petite quantité pour éviter l'hyperventilation.

✱ JE VIENS D'ATTRAPER UN ULCÈRE POUR (PRESQUE) RIEN

QU'EST-CE QUI SE JOUE ?

Aujourd'hui, tout vous soucie. Même les choses les plus anodines. Comme ce rendez-vous annulé avec Marie qu'elle a certainement mal pris. Elle ne l'a pas dit franchement, mais vous sentez bien que vous l'avez exaspérée. Et vous vous en voulez de vous être noyée dans des explications vaseuses. C'est bien la quinzième fois que vous refaites la conversation. Ça vous prend la tête et ça vous perfore l'estomac. Rien que ça !

LE PATCH

Inutile d'insister, vous ne pourrez pas d'un revers de main faire disparaître ces pensées qui tournent en boucle autour de votre estomac, elles s'y sont bien installées ! Définitivement ? Certainement pas. Chassez-les à l'aide d'une feuille de papier sur laquelle vous aurez tracé trois colonnes. Dans la première, décrivez la situation : « J'ai annulé un rendez-vous, etc. » En face, inscrivez ce que vous vous dites par rapport à cette situation : « Horreur, je n'ai pas réussi à m'expliquer, etc. » Et enfin, notez ce que vous pourriez vous dire, par exemple : « Je me suis expliquée, elle m'a entendue, etc. » Voir noir sur blanc une alternative à ce que l'on croyait inscrit comme sur du marbre dans nos pensées, eh bien... peut les faire changer !

✳ JE RESTE CLOUÉE SUR PLACE

QU'EST-CE QUI SE JOUE ?

Vous cherchez bien, mais hormis dormir d'un sommeil profond et sans rêve, vous ne savez pas très bien ce que vous pourriez désirer d'autre à cette heure-ci (15 h 34). Trois petites difficultés rencontrées dans la matinée (la mauvaise humeur du boss, les trois quarts d'heure perdus à chercher une facture à payer et un talon Prada cassé) ont suffi à vous donner envie de ne plus bouger du tout. Ne pas se lever, c'est encore le meilleur moyen de ne rien risquer, non ?

LE PATCH

À faire le soir, en fin de journée : tenir son journal des petits bonheurs. On l'a dit, tout est question de perception. Quand on est envahi d'idées grises, toutes les autres pensées (les blanches, les roses, les bleues...) s'effacent. Ce qui ne signifie pas qu'il n'y ait aucune raison de se réjouir de sa journée. Alors, pour rééquilibrer sa vision du monde (et du sien en particulier) et introduire un peu de plaisir dans une journée qui en semblait dépourvue, on prend le soin de noter les trois faits qui vous ont apporté de la satisfaction. L'idée ? Se reconnecter à ses émotions positives.

✳ JE DEVIENS CHÈVRE !

QU'EST-CE QUI SE JOUE ?

On dirait une girouette qui ferait des pirouettes. Et que je cours, à l'heure du déjeuner, au métro Châtelet dépanner chéri qui a perdu ses clés. Et que j'enchaîne avec la réunion « Buzz du siècle » à Sursis-en-Parisis. Et que je l'ai préparée la veille à minuit, après le dîner de huit couverts servi sur nappe par mes soins. Et que je file ce soir chez le kiné avant de me jeter sur les courses du dîner. Euh... rien oublié ? Euh... non. Euh... oui, ma tête peut-être ?

LE PATCH

Rompre la spirale infernale de la fébrilité par un retour instantané au calme, voire au silence. Difficile de goûter à cet état délicieux quand on vit à cent à l'heure, pourtant, c'est un moyen efficace pour se rapprocher de l'essentiel : soi. Préparez-vous une cérémonie du thé home made. Avec des gestes lents, profitez de chaque instant pour écouter l'eau bouillir, regarder la vapeur s'échapper, humer les senteurs du thé, attendre en silence qu'il infuse, choisir une tasse, se réchauffer à la vue du breuvage, le déguster par petites gorgées. Ça y est, vous vous êtes retrouvée ?

Salutation au Soleil.
(enfin, à l'halogène)

ZEN,
RIEN
QU'AVEC
moi ***

LANCEZ LE PROGRAMME
RETOUR DE ZÉNITUDE

Avec tout votre petit matériel autour de vous (encens, images pieuses et coussin de relaxation), on s'attaque au nerf de la guerre : vous ! Le but de cet intérêt pour votre ego ? Apporter la paix dans le monde. Le dalaï lama lui-même ne dit rien d'autre :

> **« Le désarmement extérieur passe par le désarmement intérieur. Le seul vrai garant de la paix est en soi. »**
>
> in *Le Livre de la sagesse*, Y. Brière, éd. Librio

Il n'y a donc plus qu'à vous répéter en boucle :

 Bien s'occuper de moi
= bien s'occuper des autres
= avoir la paix !

TOUT COMMENCE
PAR LA RESPIRATION...

Pas de zénitude sans apprendre à contrôler sa respiration, ne serait-ce que pour mieux maîtriser son rythme cardiaque ou se relaxer. Plusieurs méthodes existent, reste à trouver la vôtre, celle avec laquelle vous aurez le plus d'affinités.

✳ JE RESPIRE AVEC LE VENTRE

Une bonne manière de chasser les tensions. Allongée, jambes légèrement repliées, on inspire et on expire par le nez. Au mouvement d'inspiration, on invite le ventre à se gonfler comme un ballon. Au mouvement d'expiration, le ventre se relâche naturellement. À chacun de ces mouvements, tentez de ne pas trop solliciter votre poitrine. Elle doit peu bouger pour éviter une hyperventilation.

✳ JE RESPIRE AVEC LE TEMPS

Nous avons tendance à croire qu'il faut beaucoup respirer pour se calmer. Or cette croyance est absolument fausse. Ce qui est vrai, en revanche, c'est que moins nous respirons, plus nous nous calmons. Si vous souhaitez pacifier les pulsations de votre cœur, autant prendre votre temps. À chaque inspiration (sans effort), faites une légère pause en retenant votre souffle. Faites de même à chaque expiration. Le tout à pratiquer pendant quelques instants seulement.

✳ JE RESPIRE AVEC LE CŒUR

Notre rythme cardiaque reflète notre état émotionnel. Calmer son cœur permet de calmer ce qui tempête sous notre crâne. C'est ce que propose la méthode de la cohérence cardiaque : faire battre à l'unisson cœur et cerveau. Pour cela, on commence par travailler sa respiration, calme et profonde, suivie d'une légère pause à l'expiration. On se « branche » alors sur les mouvements de son cœur pour visualiser son gonflement à chaque inspiration et sa détente à chaque expiration. Comme si l'on respirait à travers lui. Et l'on y associe l'évocation d'images mentales positives. L'apaisement s'installe naturellement. À renouveler fréquemment à tout moment de la journée.

« On ne voit bien qu'avec le cœur.
L'essentiel est invisible pour les yeux. »

Antoine de Saint-Exupéry

JE N'OUBLIE PAS
LES PRÉLIMINAIRES

SE REGARDER RESPIRER

Avant de se lancer dans une méthode de respiration, autant bien observer sa manière de procéder. Choisissez un moment tranquille et une position confortable. Assise, par exemple. Fermez les yeux pour mieux vous concentrer sur les mouvements de votre corps lorsque vous respirez profondément et lentement. Suivez les mouvements de votre poitrine et de votre ventre à l'inspiration, ils se gonflent dans un geste presque volontaire. Suivez les mouvements de votre poitrine et de votre ventre à l'expiration qui se dégonflent spontanément. Rouvrez les yeux tout en continuant à vous concentrer sur votre respiration et sur le mouvement de l'air dans vos narines. Pratiquer cet exercice, c'est déjà se détendre.

RESPIRER UN AIR PURIFIÉ

Quitte à bien respirer, autant que ce soit un air allégé des pollutions intérieures. Investissez dans un purificateur d'air.

⋯▷ Les règles d'or

Avant d'acheter, prenez en compte :

* La superficie de votre pièce.
* Le débit d'air de l'appareil. Optez pour un débit supérieur à 200 m³/h.
* Son niveau sonore. Le plus silencieux sera le mieux.
* Sa taille et son poids. Autant le choisir discret et facile à déplacer.
* Le type de filtre. Privilégiez les filtres HEPA (« haute efficacité pour les particules aériennes »).
* Son mode d'entretien. Par exemple, préférez un modèle disposant d'un voyant indicateur de remplacement du filtre.

JE ME FERAIS BIEN
UNE PETITE MÉDITATION !

Comme Bouddha sous son arbre ? Pourquoi pas ! Directement inspirée des philosophies orientales, la méditation d'aujourd'hui peut se pratiquer sans référence à une démarche spirituelle. Les psychologues, les psychothérapeutes ou les neurobiologistes attestent des vertus apaisantes de l'exercice. De quoi s'agit-il ? Essentiellement d'une pratique introspective qui doit mener ses adeptes à une sensation de bien-être. Par quel chemin ? Celui que vous voudrez bien emprunter car les écoles sont nombreuses. À vous de piocher dans ce qu'elles proposent pour trouver votre mode de méditation idéal. Mais quelques principes de base restent constants. Le premier d'entre eux est la régularité. La sensation d'apaisement que procure la méditation se perçoit d'autant plus qu'elle est pratiquée régulièrement. Ensuite...

À VOUS DE JOUER
✳ VOTRE POSITION

L'idée est de se mettre en condition physique. Pour cela, la position la plus communément imaginée est celle du lotus, jambes repliées l'une sur l'autre. Cependant, il s'agit d'une position difficile à tenir, voire douloureuse sans pratique ou sans méthode. Optez donc pour la position dans laquelle vous vous sentirez la plus à l'aise, le corps détendu : assise en tailleur, avec un point d'appui ou pas, sur une chaise, allongée ou même en marchant.

✳ VOTRE ATTENTION FOCALISÉE

L'objectif est de réussir à laisser passer ruminations, pensées parasites et idées obsédantes qui vous empêchent de vous détendre. Pour atteindre cet état d'apaisement intérieur, plusieurs options sont possibles : concentrer son attention sur un point précis, un objet familier, une phrase, un son unique, une image agréable. Ou bien, à l'inverse, prendre en compte la globalité de ce qui vous entoure : bruits, mouvements, odeurs... Dans tous les cas, il convient d'accepter que nombre de pensées défileront dans votre esprit malgré ces supports. Mais en apprenant à vous concentrer, vous devriez réussir à ne pas les retenir trop longtemps.

MÉDITATIONS
À PRATIQUER ENTRE INITIÉS...

Certaines pratiques de méditation méritent de ne pas être abordées seule. Comme...

LE ZAZEN

C'est la posture du bouddhisme zen : en lotus, en profonde concentration sur sa respiration, on laisse passer ses pensées dans le but... de ne plus penser à rien. C'est généralement sous le regard d'un Maître qu'on s'initie à ce lâcher-prise de la conscience.

LA MÉDITATION DE PLEINE CONSCIENCE

Entre zen et yoga, la méthode relève plus des thérapies cognitives que d'une quête mystique. Elle consiste à concentrer son attention sur un geste et à un moment précis, sans jugement. On l'apprend plutôt en groupe autour d'un thérapeute spécialisé.

SECRETS
POUR BIEN MÉDITER

* Réservez un espace-temps de liberté où vous ne serez pas dérangée.

* Donnez-vous un court délai pour commencer. Entre 5 et 10 minutes suffiront.

* Choisissez le bon endroit : au pied de votre lit, devant l'évier de la cuisine, en allant au métro, bref des lieux simples et familiers.

* Optez pour une tenue appropriée. Le maître mot : confort !

* Instituez une vraie régularité.

* Ne vous découragez pas.

ET MAINTENANT,
ON SE RELAXE !

Vous désirez détendre votre corps ?
Sans oublier le mental ? Alors, bienvenue !

EN FORME
AVEC LE YOGA

LA PROPOSITION

Apprendre à rentrer en soi pour ensuite appréhender le monde avec calme et apaisement. Comment ? En entretenant une meilleure relation avec son corps, sa respiration et son esprit (sans oublier le cosmos).

LES AVANTAGES

✳ LE YOGA LIBÈRE LE CORPS

Le yoga consiste d'abord en une suite d'exercices physiques qu'on appelle les asanas, des positions du corps qu'il convient de tenir un certain temps (c'est souvent là que réside la difficulté), telles celles du chien tête en bas ou du lion en lotus. Pendant ces exercices, la pression sanguine, le rythme cardiaque et la chaleur du corps diminuent. Ils permettent d'agir sur les grandes fonctions comme le système digestif, circulatoire, nerveux ou encore lymphatique, tout en tonifiant les muscles.

✳ LE YOGA LIBÈRE L'ESPRIT

Pratiquer les asanas pourrait donc se résumer à une suite d'exercices de gymnastique, parfois acrobatiques. Pourtant, la vocation du yoga est d'aller bien au-delà et d'atteindre jusqu'à l'esprit du yogi. Les exercices physiques comme les exercices respiratoires ont clairement pour vocation d'apprendre à mieux se concentrer, à libérer son mental pour aborder la vie de façon plus sereine, plus apaisée.

✳ LE YOGA VISE L'HARMONIE

Le yoga ouvre la voie à une meilleure santé du corps ainsi qu'à un plus grand calme intérieur. Il permet de s'éloigner des comportements excessifs et nocifs. Il promet donc à la fois d'acquérir plus d'énergie au quotidien et d'élever sa conscience en harmonie avec soi et les autres. Que du bonheur !

« La vie n'est supportable que lorsque le corps et l'âme vivent en parfaite harmonie, qu'il existe un équilibre naturel entre eux, et qu'ils ont, l'un pour l'autre, un respect réciproque. »

David Herbert Lawrence

TÉMOIGNAGES
ELLES SONT FANS DE YOGA.

* Angie, 29 ans, pratique depuis huit ans.

« Mon yoga est très physique. C'est donc un vrai soutien quand je sens des tensions musculaires monter ou bien la fatigue s'installer. Pour les aspects plus spirituels, mon prof les laisse un peu de côté. Mais cela ne m'empêche pas de tirer profit de ses enseignements dans ma vie quotidienne. Par exemple, elle nous apprend que ce n'est pas la pose qui compte mais la manière dont on la construit avec chacun de ses muscles. Dans mon travail, j'essaie d'adopter le même comportement pour ne pas être obsédée par l'objectif à atteindre mais concentrée sur les moyens d'y parvenir. »

* Marie, 24 ans, pratique depuis deux ans.

« Le yoga m'apporte un délassement infini. Il y a peu d'autres moments dans la vie où je me sens dans un tel état d'apaisement, centrée en moi. À tel point que quand je sors de mon cours, j'ai un besoin de calme inouï. Je me sens agressée par les bruits extérieurs, je trouve que les gens parlent trop fort, qu'il y a trop de mouvements dans tous les sens. Et puis, naturellement, ça passe... »

« C'est comme si j'étais sur un tapis volant. La voix de mon prof pénètre en moi et hop, je m'envole. C'est un moment de grande relaxation. De douceur aussi. Je suis à la fois complètement partie ailleurs et pourtant, là, à suivre les instructions de mon prof. C'est réjouissant et pacifiant. »

LE YOGA SOUS TOUTES SES FORMES

* **Oui pour le yoga !**
  Mais lequel choisir ?
  Il n'y a pas « un » yoga
  mais bien « des » yogas.

REPÈRES

* HATHA YOGA

C'est la forme la plus connue du yoga. Son objectif déclaré ? La maîtrise du corps par l'équilibre de ses énergies. Et pour cela, on dénombre plus de 84 000 postures (asanas) pour atteindre la perfection promise. L'accent est mis sur la respiration, la souplesse et le travail musculaire.

* KUNDALINI YOGA

C'est le yoga des chakras. À chaque chakra (ils sont sept) correspond un centre énergétique qui agit sur le corps via le système endocrinien et nerveux. Le but est donc d'éveiller sa conscience par la maîtrise de ces sources d'énergie. L'accent est mis sur les postures, mais aussi sur la relaxation et la méditation.

✳ MANTRA YOGA

Ce yoga prend appui sur les vibrations sonores pour atteindre la maîtrise de soi. Il se pratique en récitant des mantras qui peuvent être de simples sons, le nom de divinités ou encore des prières plus élaborées.

✳ TANTRA YOGA

C'est le yoga de l'énergie pour lequel les exercices pratiques tendent à développer nos niveaux de conscience. Le but ultime ? L'extase.

TROIS EXERCICES
FACILES DE YOGA

✳ BESOIN DE VOUS CONCENTRER ?

STEP 1 : Tenez-vous debout, les pieds serrés l'un contre l'autre, le dos bien droit, sans vous contracter.

STEP 2 : À l'inspiration, levez les bras juste au-dessus de votre tête, réunissez vos deux pouces les mains toujours tournées vers l'avant. Dans le même temps, montez sur la pointe de vos pieds. Gardez cette position quelques instants en respirant normalement. Puis relâchez vos bras et vos pieds dans le mouvement de l'expiration.

✳ BESOIN DE TONUS ?

STEP 1 : Étendez-vous sur le sol, jambes allongées et jointes, paumes des mains à plat. Dans le mouvement de votre inspiration, levez les jambes.

STEP 2 : Puis, en soutenant votre dos à l'aide de vos mains, coudes toujours appuyés sur le sol, décollez et montez votre bassin. Continuez le mouvement de levée des jambes de telle manière qu'elles soient le plus possible à la verticale.

✳ BESOIN DE VOUS DÉTENDRE ?

STEP 1 : Assise en tailleur, les mains posées sur les genoux, inspirez profondément.

STEP 2 : Le temps de l'expiration, tournez lentement votre tête vers la droite. Dès que l'expiration est terminée, ne bougez plus. Marquez un temps de pause.

STEP 3 : Reprenez votre inspiration et à l'expiration suivante ramenez votre tête au centre.
Puis répétez le mouvement sur la gauche en vous concentrant sur la synchronisation geste/expiration.

NÉO YOGAS

Ils sont (presque) tout neufs et peut-être pour vous.

⋯▷ Vous êtes sportive et vous aimez les chaleurs tropicales ?
Le yoga Bikram devrait vous aller. Vingt-six postures dynamiques à enchaîner en 1 h 30 dans une pièce chauffée à blanc (autour de 40 °C). La chaleur est idéale pour pratiquer des étirements sans se froisser les muscles et éliminer les toxines (comprendre : perdre quelques litres de sueur). Un exercice complet (on gagne en souplesse et en énergie) à réserver aux personnes en bonne santé.

⋯▷ Vous êtes adepte de la performance et des acrobaties ?
Le yoga Ashtanga vous conviendra. Une cinquantaine de poses à enchaîner en une heure et demie, en travaillant particulièrement la synchronisation des mouvements et de sa respiration. Le yoga Ashtanga impose une grande rigueur physique (on y transpire beaucoup, on s'y affine aussi) et promet naturellement l'harmonisation du corps et de l'esprit.

⋯▷ Vous êtes hyperactive et Madonna ?
Le Power yoga est pour vous. Il ressemble beaucoup à son grand frère, le yoga Ashtanga, mais en plus accessible bien que plus athlétique. Il permet de développer l'énergie musculaire, et même d'ailleurs l'énergie tout court !

Je suis le tiiigre qui...
non,
la petite tisseuse de jade
qui marche sur la glace
et qui ... euh ... qui
quoi déjà ?...

LE
QI-GONG

EN FORME AVEC **LE QI GONG**

Le qi (ou le chi), c'est le souffle, l'énergie. Le **gong**, c'est le travail, l'exercice. Le qi gong, c'est donc le travail libérateur de l'énergie vitale.

Le qi gong (prononcer le « tchi kong ») existe en Chine depuis des millénaires. Presque une approche thérapeutique, puisqu'il vise à maintenir en bonne santé et assurer la longévité, il adopte des formes d'expression très diversifiées tout comme le yoga. Mais quelles que soient les écoles, l'approche est la même : vivre en harmonie avec son environnement, avec la nature, et se régénérer aussi bien de l'intérieur que de l'extérieur.

Pour faciliter la circulation de notre énergie vitale, on enchaîne des postures lentes et souples, harmonisées à sa respiration, tout en prenant appui sur des images mentales ou des sons.

⋯⊹ **Les points positifs sont multiples :** amélioration de son tonus, diminution des tensions, plus grande aptitude au calme et à la concentration. Le tout sans avoir besoin de jouer de sa force physique ni de prendre de risques. Le rêve !

TROIS MOUVEMENTS POUR RETROUVER SON CALME

✳ **MOUV' 1 :** ADOPTEZ LA POSITION QUI PERMET DE RESSENTIR LE QI, L'ÉNERGIE QUI CIRCULE EN VOUS.

✳ Debout, les pieds droits, légèrement écartés (de la largeur des épaules).
✳ Épaules détendues et tête droite.

* Penchez très légèrement le buste en avant.
* Fléchissez très légèrement les genoux.
* Main gauche sur main droite posées sur le ventre, avec le pouce qui prend appui au niveau du nombril.
* Stablement positionnée, restez à l'écoute de vos sensations.

✳ MOUV' 2 : DÉTENDEZ VOS BRAS DES TENSIONS MUSCULAIRES ACCUMULÉES.

* Debout, les pieds légèrement écartés (de la largeur du bassin).
* Les bras le long du corps sont balancés d'avant en arrière dans un geste souple et ondulant.
* Inspirez quand les bras montent, expirez quand ils descendent.
* En fléchissant légèrement les genoux quand les bras sont en position basse.

✳ MOUV' 3 : REPRENEZ DE L'ÉNERGIE EN VOUS BRANCHANT SUR CELLES DU CIEL ET DE LA TERRE.

* Accroupissez-vous doucement en appliquant la paume de chaque main à plat sur le sol.
* Inspirez et expirez plusieurs fois en ressentant l'énergie qui se dégage de la terre.
* Relevez-vous doucement en remontant les bras ouverts vers le ciel, paumes tournées vers l'intérieur.
* Inspirez et expirez plusieurs fois pour ressentir l'énergie du ciel.

EN FORME AVEC
LE TAÏ-CHI-CHUAN

Le taï-chi-chuan est un art martial, plus proche de la danse que de la lutte. On dit du taï-chi que ce serait une méditation en mouvements. Les postures sont lentes, fluides, pratiquées en douceur dans une sorte de chorégraphie ralentie et très largement inspirées d'observations de la nature. Réalisées tout en souplesse, elles s'ancrent sur la respiration. Il n'y a presque pas d'interruption entre les poses, ce qui oblige à une extrême concentration de l'esprit.

···> **Les points positifs :** les articulations ne sont pas violentées, les muscles sont doucement réchauffés, on apprend à s'assouplir en douceur et à travailler sa capacité de concentration, son équilibre, sa stabilité, sans excès physiques.

✳ LES NEUF BONS PRINCIPES DU TAÏ-CHI

Harassée au bureau, stressée devant votre ordi, excédée à votre volant ? Prenez appui sur les principes de base du taï-chi pour reprendre (bon) pied.

✳ Gardez votre corps étiré par le haut du crâne comme pendant les exercices de taï-chi pour recentrer votre esprit.

✳ Laissez retomber vos épaules pour décrisper vos muscles.

✳ Pensez à détendre votre corps.

* Bougez sans vous interrompre mais avec lenteur, en vous concentrant sur vos gestes.

* Donnez de la souplesse à vos mouvements, sans brusquer vos articulations.

* Respirez doucement.

* N'essayez pas de tout maîtriser.

* N'attaquez rien ni personne, esquivez plutôt.

* Choisissez toujours la voie du milieu (parce que vous avez une vue claire sur les extrêmes).

ON SE FAIT DU BIEN
AUSSI AVEC...

Il existe d'autres formes d'activités physiques qui inscrivent au programme la réduction des tensions du corps et de l'esprit. Tour d'horizon.

✳ LA MÉTHODE PILATES

Inventée par Joseph Pilates au début du XXe siècle, il n'y a que quelques années qu'elle s'est vraiment propagée en France, avec succès.

✳ LA PROMESSE

À cause de nos vies sédentaires, nos muscles profonds sont moins sollicités que nos muscles du mouvement. Relâchés, ceux-ci ne font plus barrière contre les tensions en tous genres que le corps supporte. La méthode vise donc à les renforcer mais dans l'harmonie, en douceur et en contrôlant sa respiration.

✳ LES AVANTAGES

On affine sa silhouette et en même temps on lutte plus efficacement contre le stress de la vie quotidienne.
= On le conseille particulièrement aux sédentaires fatiguées.

✳ LE GYROKINESIS (OU GYROTONIC)

Mise au point par un danseur d'origine roumaine dans les années 1980, la méthode se pratique avec poids, poulies et sangles. Ça fait peur ? Pas trop...

✳ LA PROMESSE

Optimiser son potentiel énergétique par des mouvements rotatifs (une sorte de natation hors de l'eau) qui vont permettre d'assouplir et d'allonger les muscles et en particulier de travailler le dos. Le tout étant destiné à retrouver une posture équilibrée du corps.

✳ LES AVANTAGES

C'est presque une méthode de rééducation, car le gyrokinesis propose non seulement d'entretenir sa forme, mais aussi de réparer ses maux (les petits, comme une légère blessure musculaire, ou les chroniques, comme une sciatique).
= On le conseille à condition de trouver la bonne personne, bien formée à manier les agrès.

✳ L'ANTI-GYMNASTIQUE

Une méthode peace and love (solliciter ses muscles par de petits mouvements, quelle bonne idée !) inventée par une kiné, Thérèse Bertherat, dans les années 1970.

Réconcilier notre tête pensante avec notre corps animé. Le constat de Thérèse Bertherat est le suivant : nous négligeons notre corps, il marche comme il peut, mais nous le méconnaissons. Le réinvestir, c'est réinvestir tout notre être. Pour cela, on redonne de la mobilité aux muscles qui, avec le temps et les événements de la vie, se sont raidis, rétractés, coincés, atrophiés...

Retrouver sa vraie silhouette et dénouer les nœuds musculaires formés patiemment au fil du temps. Bref, un nouveau départ.
= On le conseille à celles qui se sentent tendues rien qu'à l'idée de faire du sport.

Et aussi...
La liste ne s'arrête pas là, vous pouvez également fondre sur :
⋯▶ **Le yogalates**
Un mix fusion de yoga et de Pilates, assez énergétique.
⋯▶ **Le Core Stability**
Une sorte de tapis et des sangles pour vous aider à travailler en étirements et en résistance. Plutôt fitness.
⋯▶ **Le Swiss Ball**
À l'origine pour rééduquer son dos, une méthode qui se pratique avec un gros ballon mou pour travailler son équilibre. Physique également.

ENVIE DE VOUS BOUGER ?

Vous êtes plutôt adepte de mouvement pour noyer le stress ? Alors vous pouvez foncer sur l'aquaboxing. On dit aussi aquapunching pour désigner cette méthode qui se pratique, vous l'aurez deviné, dans l'eau. L'idée ? S'exercer aux arts martiaux (et aussi à la boxe anglaise pendant qu'on y est) en pleine immersion pour profiter de l'effet de résistance du liquide. Un drop du poing gauche, un kick du pied droit, harnachée dans un matos spécial « guerrière » (gants et jambières), ça défoule !

ET SI ON S'OCCUPAIT
DE MOI AUSSI !

Envie de vous faire papouiller ?
C'est vrai qu'à deux, parfois, c'est mieux...

MMH ! LES MASSAGES...

MAIS POURQUOI ÇA FAIT TANT DE BIEN ?

Parce que c'est une manière simple de reprendre contact avec son corps, ses sensations, et d'installer un temps d'apaisement. Les techniques pullulent et proviennent du monde entier : massage californien tendance Esalen (le Club Med du développement personnel de la côte Ouest des États-Unis), massage suédois plutôt tonique, massage hawaiien ou massage cachemirien, massage thaï ou massage coréen... Pour ne citer qu'eux. Le meilleur guide ? Vous ! À chacun son terrain de prédilection. Certaines préfèrent le palpé roulé, d'autres le tapoté, c'est selon. En attendant de trouver votre masseur, voici trois propositions pour vous détendre à la maison avec vos propres mains, en deux minutes maxi.

MASSAGES EXPRESS

✳ DÉFATIGUER SES YEUX

Un geste tout simple à pratiquer devant son ordi ou sa feuille de papier quand les yeux sont trop sollicités :

* Appliquez la paume de chacune de vos mains sur chaque œil en formant une coque.
* Laissez le noir s'installer.
* Retirez doucement vos mains en laissant quelques secondes vos index masser le bord externe de vos sourcils dans un mouvement circulaire.

✳ DÉTENDRE SON VISAGE

À répéter à chaque fois que les tensions semblent prendre le pas sur votre esprit.

* Commencez par les yeux. Appliquez la paume de chacune de vos mains sur chaque œil en formant une coque.
* Laissez-les glisser sur votre visage en direction de vos oreilles.
* Dans le même mouvement, laissez vos mains se rejoindre sur le dos de votre crâne, à la base de la nuque.
* Puis laissez-les descendre sur vos trapèzes (entre le cou et la nuque) jusqu'aux clavicules.
* Répétez plusieurs fois ce mouvement en fermant les yeux.

✳ RELAXER SES PIEDS

* Assise, posez votre pied droit sur votre cuisse gauche.
* Avec les deux pouces de vos mains, procédez par pressions en partant du creux de la voute plantaire jusqu'à la base des doigts de pieds.
* Étirez chacun de vos doigts de pieds.
* Repartez en sens inverse, à nouveau par petites pressions des pouces, en remontant vers le talon.
* Finissez en le caressant comme si vous deviez le lisser jusqu'à sa base.
* Recommencez avec votre pied gauche.

SIX TRUCS POUR RÉUSSIR
SON AUTOMASSAGE

Quel que soit le massage que vous désirez pratiquer, mettez-vous en condition :

Prenez votre temps, loin du téléphone ou de toute autre source de sollicitations.

Installez une ambiance propice à la détente : lumière douce, bougie relaxante...

Chauffez vos mains sous l'eau chaude ou en les tapotant l'une contre l'autre.

Aidez-vous d'une huile de massage, ce qui facilite les gestes.

Optez pour des effleurements, plus aisés à réaliser seule.

Et suivez votre inspiration.

SHIATSU ET CIE

Les techniques de bien-être qui prennent appui sur le toucher sont nombreuses. La reine d'entre elles reste incontestablement le shiatsu, mais elle n'est pas seule.

✳ C'EST BON POUR MOI LE SHIATSU ?

La méthode, labellisée sous cette appellation, est en réalité assez récente. Elle a un petit siècle et des poussières, elle est reconnue au Japon comme une technique de médecine à part entière depuis 1955. Mais elle existait bien avant dans la sagesse traditionnelle chinoise. Son intérêt est reconnu par tous, notamment pour lutter contre le stress. Grand avantage : elle se pratique tout habillée (mieux quand il fait froid) ! Surtout, cette méthode permet de se détendre et même de se soigner par un système de pression des doigts (mais aussi des paumes, et parfois des coudes, des genoux ou même des pieds, si, si !) suivant les lignes énergétiques du corps. On est là à la frontière du bien-être et de la santé.
= On le conseille pour celles qui somatisent beaucoup.

✳ LA RÉFLEXOLOGIE AUSSI ?

Dans cette discipline, on considère la main et le pied comme une sorte de carte générale de l'esprit et du corps. En massant certains points précis de ces deux zones réflexes, on agit aussi bien au cœur des émotions que sur le bien-être de son enveloppe corporelle.
= On le conseille pour celles qui ont envie d'une relaxation complète.

☀ L'ACUPRESSION, ÇA LE FAIT ?

Eh oui ! On parle aussi de digitopression pour cette méthode. Mais on reste dans la même dynamique que le shiatsu, ou naturellement l'acupuncture, c'est-à-dire stimuler les méridiens par l'application de pressions manuelles.
= On le conseille pour celles qui ont la phobie des aiguilles.

☀ ET LE DO IN, C'EST QUOI ?

Il s'agit d'une pratique d'automassage dérivée du shiatsu. Comme chez son parent, il est question de faire circuler l'énergie le long des méridiens par pressions ou frictions mais sans avoir besoin d'un Maître sous la main (pratique).
= On le conseille aux pantouflardes.

PATCHS
DIGITO-DÉTENTE

On vous propose d'utiliser votre pouce pour appuyer sur les quelques points sensibles de la parfaite stressée par des petits mouvements de pression circulaires appliqués, plusieurs fois par jour, pas plus de deux minutes. Ce qui devrait vous soulager si :

Vous êtes fatiguée nerveusement ?
Pressez l'extrémité de vos dix doigts côté pulpe.

Vous êtes anxieuse ?
Pressez le point qui se trouve à l'intérieur de vos poignets, trois doigts au-dessus du pli, entre les deux tendons.

Vous êtes trop émotive ?
Toujours au niveau des poignets, à un doigt au-dessus, pressez le point creux qui se trouve du côté de l'auriculaire.

Vous avez mal à la tête ?

Sur le rebord arrière du crâne, massez les deux points creux qui se trouvent à deux doigts derrière l'oreille.

Vous tournez en rond autour d'une même idée ?

Massez le point qui se trouve à mi-chemin entre votre nombril et le bas du sternum. Et aussi le creux qui se trouve juste en dessous du sternum (au milieu, un peu en dessous des seins).

D'autres manifestations ? Retrouvez tous les points à presser pour vous soulager sur le site : www.digitopressure.com.

CHOUETTE DES AIGUILLES !
VIVE L'ACUPUNCTURE !

C'est un art thérapeutique, une médecine
douce et un excellent antistress.
Le tout à base d'aiguilles !

Difficile de croire qu'un objet aussi menaçant puisse être source de bien-être.

⋯⟩ **Bref rappel des objectifs et avantages de la méthode** pour celles qui n'auraient jamais vu une aiguille d'acupuncteur de près (pas de danger, elles sont toutes petites et fines, mais fines...).
L'acupuncture vise à lever et corriger les points énergétiques bloqués le long de nos méridiens, qui paralysent le flux de nos énergies par l'apposition d'aiguilles... sur ces mêmes points.

Petite précision : correctement placées, elles ne doivent jamais faire mal. L'intérêt pour les stressées, c'est que l'acupuncture ne dissocie pas le caractère physique du caractère émotionnel et ne l'isole pas de la nature qui l'environne. Une bonne manière de prendre en compte ses problèmes dans leur globalité.

LA THÉORIE
DES CINQ ÉLÉMENTS

L'acupuncture reconnaît cinq éléments fondamentaux : le bois, le feu, la terre, le métal, l'eau.

À ces cinq éléments correspondent cinq saisons, cinq organes principaux, cinq émotions fondamentales et cinq couleurs. Tous interagissent les uns sur les autres. L'acupuncture se sert de ces correspondances pour déterminer à quel moment entretenir l'équilibre et par quel moyen.

* **Été/feu/cœur/joie/rouge**

* **Fin de l'été/terre/rate-pancréas/réflexion/jaune**

* **Automne/métal/poumon/tristesse/blanc**

* **Hiver/eau/rein/peur/noir**

* **Printemps/bois/foie/colère/vert**

QUE D'EAU !
L'HYDROTHÉRAPIE

Qui n'a jamais pris de bain ne peut pas deviner les vertus apaisantes de l'eau. Les Romains le savaient bien, qui fréquentaient quotidiennement les thermes. Détoxifiants, les bains de vapeur permettent d'éliminer les déchets de l'organisme retenus par la peau. S'immerger dans une eau chaude favorise une meilleure irrigation du sang alors qu'une eau froide soulage des inflammations. On ne compte plus les méthodes qui vous proposent un grand plongeon pour vous sentir mieux.

PETIT LEXIQUE
DES THÉRAPIES AQUATIQUES

Balnéothérapie
Un bain et tout va bien ! La balnéothérapie se propose de vous plonger dans l'eau tout entière ou d'immerger seulement certaines parties du corps pour vous détendre. À moins que vous ne préfériez un bain de boue ? D'algues ? De foin ? De raisins ?

Spa
Sur les thermes romains était écrit « S P A » : Solus Por Aqua (« soigner par l'eau »). D'où l'appellation actuelle pour ces établissements où on utilise toutes sortes de techniques à base d'eau pour vous remettre en beauté. Et en forme.

Thalassothérapie
Toujours avec des visées thérapeutiques, la thalassothérapie utilise l'eau de mer pour vous permettre de remettre les compteurs à zéro (à condition d'accepter de passer une journée entière en peignoir et chaussons blancs).

Thermes
Ce sont des établissements de santé, recommandés par un médecin, installés près d'une source naturelle d'eau aux vertus variées. Le secret de ces eaux ? Leur richesse en minéraux absorbés par la peau quand on s'y baigne.

VOUS N'AVEZ NI SPA, NI SAUNA, NI HAMMAM PRÈS DE CHEZ VOUS ?
VOUS AVEZ UN POINT D'EAU ?
UNE DOUCHE OU UNE BAIGNOIRE ?

FAITES COMME SI VOUS Y ÉTIEZ

Réunissez votre matériel !

···▷ **Une bougie pour adoucir l'atmosphère.**

···▷ **Des brosses, des gants ou tout autre accessoire de bain que vous prisez.** Pourquoi pas un gant de loofah (ou luffa), par exemple ? En fibre végétale (une sorte de courge), il est terriblement rêche mais s'adoucit merveilleusement sous l'eau. Formidable pour un léger peeling et une stimulation de la peau.

···▷ **Une serviette épaisse et douillette**, en fibre de bambou par exemple, ou un long drap de bain comme la fouta des hammams, cette serviette fine en coton tissée en nid d'abeille.

···▷ **Un carré de mousseline** dans lequel vous enfermerez quelques fleurs de camomille à plonger dans l'eau chaude pour retrouver un peu de zénitude.

···▷ **Quelques flacons d'huile de germe de blé** pour l'élasticité de la peau ou de lait d'amande pour l'adoucir.

···▷ **Des essences relaxantes** (mélangées à une huile d'amande douce à plonger dans le bain), comme par exemple : 1 goutte de fève tonka, 3 d'ylang-ylang, 3 de pamplemousse, 2 de santal. Vous en trouverez (entre autres) sur le site de la société Néroliane www.neroliane.com qui diffuse ces essences.

ÇA SENT BON, L'AROMATHÉRAPIE

L'aromathérapie n'est pas qu'une histoire de bonnes odeurs. C'est aussi une approche thérapeutique fondée sur l'utilisation des essences aromatiques des plantes sous forme d'huiles essentielles. Leur très forte concentration (il faudrait en moyenne 35 kg de plante pour extraire 1 litre d'huile essentielle) peut être toxique. La prudence doit donc être de mise malgré leurs vertus indéniables. C'est pourquoi on ne les propose pas aux jeunes enfants, aux femmes enceintes ou aux femmes qui allaitent (et aux chiens et chats). On ne les utilise pas non plus pures sur la peau, mais toujours diluées dans une huile végétale neutre comme l'huile d'amande douce ou l'huile d'argan. Et on les protège de la lumière, de l'air et des températures excessives si on veut les conserver longtemps (elles se dégradent très vite). Excellent antibactérien, l'aromathérapie par les huiles essentielles est aussi un formidable moyen pour se détendre comme pour retrouver du tonus.

Attention : il n'existe pas de diplôme en matière d'aromathérapie, pourtant les associations d'huiles essentielles nécessitent un excellent savoir-faire. Mieux vaut s'adresser à quelqu'un de confiance (le bouche à oreille est une bonne source d'informations), et éviter de s'improviser aromathérapeute. Faites plutôt confiance aux préparations du Dr Valnet, disponible en pharmacie, ou aux Fleurs de Bach Original (voir pages 92-94).

HUILES ESSENTIELLES
QUELLES QUANTITÉS
POUR QUEL USAGE ?

Pour un massage :
5 à 6 gouttes diluées dans une huile végétale.

Pour un bain :
6 à 9 gouttes diluées dans un bol de lait par exemple, puis ajoutées au bain.

18 HUILES ESSENTIELLES
ANTISTRESS

···> **Basilic**
* Revitalisante, c'est un excellent tonique nerveux
* Pour lutter contre les insomnies et la fatigue intellectuelle

···> **Camomille**
* Elle calme et apaise
* Pour contrer l'irritabilité ou la colère

···> **Carotte**
* Rééquilibrante, elle permet d'éliminer les toxines
* Pour réveiller une peau fatiguée

···> **Citron**
* Elle revigore et stimule
* Contre une trop grande excitabilité

···> **Cyprès**
* Antiseptique, astringente et tonifiante
* Pour un rééquilibrage général

···> **Eucalyptus**
* Rafraîchissante, c'est un anti-infectieux et un vrai tonifiant
* Parfait pour retrouver de l'énergie

Genévrier
* Anti-inflammatoire, elle revitalise
* Permet de se relaxer et de retrouver du tonus

Géranium
* Antifatigue et antistress
* Pour lutter contre les névralgies dues à la tension

Gingembre
* C'est un tonique général
* Pour contrer un sentiment d'épuisement

Lavande
* Calmante, elle régule le système cardiaque
* Contre les palpitations et le stress

Mandarine
* Action sédative sur le système nerveux
* Idéal pour se relaxer

Menthe
* Fortifiante et stimulante
* Pour lutter contre un état de faiblesse

Orange
* Rééquilibrante et même légèrement hypnotique
* Contre les insomnies ou la fatigue

Pin sylvestre
* Tonique et stimulante
* Contre les états de faiblesse

Romarin
* Tonique nerveux
* Pour lutter contre le surmenage

Santal
* Excellente pour la peau, tonifiante
* Contre les tensions accumulées

Thym
* Antiseptique puissant et tonique nerveux
* Contre toutes les fatigues : psychiques et physiques

Ylang-ylang
* Régulatrice cardiaque légèrement euphorisante
* Contre l'anxiété

CHEZ LE DENTISTE

Il résulte d'une étude clinique* que les patients qui se préparent à une intervention dentaire sont plus détendus s'ils ont respiré des huiles essentielles d'orange et de lavande dans la salle d'attente que ceux d'un groupe qui avait écouté de la musique douce et d'un autre encore, le plus malchanceux des trois, qui n'avait rien eu à entendre ni à renifler. L'aromathérapie serait donc particulièrement indiquée pour chasser l'anxiété.

Mais l'étude ne précise pas si ce sont spécifiquement les huiles essentielles de lavande et d'orange qui détendent ou tout simplement une bonne odeur...

* J. Lehrner, Université de Vienne (Autriche), *Ambient odors of orange and lavander reduce anxiety and improve mood in a dental office.*

LES FLEURS DE BACH,
C'EST QUOI ?

Au début du XXᵉ siècle, le docteur Bach a mis au point une sorte de « florithérapie ». Il a recensé 38 types d'essences de fleurs, de plantes ou d'arbustes qui pourraient par leur action venir rééquilibrer 38 types d'attitudes mentales négatives, sources d'une grande partie de nos maux. Son système de soins s'apparente à celui de l'homéopathie. Quelques gouttes de chaque élixir mis au point par le Dr Bach, pures ou en association (six au plus suffisent). Pour savoir quelle Fleur de Bach Original utiliser, il convient de reconnaître l'émotion qui vous envahit. Ensuite, il n'y a plus qu'à trouver la bonne composition et l'absorber en plusieurs prises jusqu'à ce que vous alliez mieux.

✳ LES TRENTE-HUIT FLEURS DE BACH ORIGINAL + LA 39ᵉ : RESCUE

La liste de ces profils émotionnels est étonnante. Regardez bien. Où vous retrouvez-vous ?

1. **Agrimony** pour celles qui cachent leurs soucis derrière un masque de jovialité.
2. **Aspen** pour celles qui ont des peurs sans raison apparente.
3. **Beech** pour celles qui critiquent, non sans une certaine intolérance.
4. **Centaury** pour celles qui ne peuvent pas dire non, qui veulent toujours faire plaisir.
5. **Cerato** pour celles qui doutent de leur capacité à juger des situations.

6. **Cherry Plum** pour celles qui ont peur de perdre la raison, qui se sentent au bord de la dépression.
7. **Chestnut Bud** pour celles qui répètent toujours les mêmes erreurs.
8. **Chicory** pour celles qui sont trop protectrices, qui donnent... pour recevoir.
9. **Clematis** pour celles qui sont dans la lune.
10. **Crab Apple** pour celles qui ont une piètre image d'elles.
11. **Elm** pour celles qui se sentent dépassées par leurs responsabilités.
12. **Gentian** pour celles qui sont facilement découragées.
13. **Gorse** pour celles qui sont désespérées, pessimistes.
14. **Heather** pour celles qui sont préoccupées d'elles-mêmes, qui parlent trop, qui n'aiment pas être seules.
15. **Holly** pour celles qui sont animées par la jalousie, la colère.
16. **Honeysuckle** pour celles qui vivent dans le passé, qui sont nostalgiques.
17. **Hornbeam** pour celles qui manquent de motivation, qui ont le blues du lundi matin.
18. **Impatiens** pour les impatientes.
19. **Larch** pour celles qui manquent de confiance en elles, qui se sentent inférieures.
20. **Mimulus** pour celles qui ont des phobies de choses reconnaissables comme les araignées, les avions, ou les poireaux (plus rare).
21. **Mustard** pour les mélancoliques, celles qui sont tristes sans raison apparente.
22. **Oak** pour celles qui s'acharnent... malgré tout.
23. **Olive** pour celles qui sont au bout du rouleau.
24. **Pine** pour celles qui se sentent toujours coupables.

25. **Red Chestnut** pour les « mères poules », celles qui ont peur pour les autres.
26. **Rescue** pour celles qui sont soudainement déstabilisées.
27. **Rock Rose** pour celles qui sont terrifiées, voire paniquées, et qui se sentent impuissantes.
28. **Rock Water** pour celles qui sont inflexibles avec elles-mêmes.
29. **Scleranthus** pour celles qui sont indécises.
30. **Star of Bethlehem** pour celles qui ont éprouvé une peur, une peine, un chagrin.
31. **Sweet Chestnut** pour celles qui se sentent au bord du gouffre.
32. **Vervain** pour celles qui sont trop enthousiastes.
33. **Vine** pour les dominatrices.
34. **Walnut** pour celles qui ont besoin de se protéger de l'influence des autres.
35. **Water Violet** pour celles qui sont fières, distantes et orgueilleuses.
36. **White Chestnut** pour celles qui sont préoccupées.
37. **Wild Oat** pour celles qui ne savent plus quel chemin prendre dans la vie.
38. **Wild Rose** pour celles qui sont résignées, passives.
39. **Willow** pour celles qui s'apitoient sur leur sort et qui sont rancunières.

Mieux encore, pour trouver les bonnes associations, vous pouvez télécharger sur le site des Fleurs de Bach Original le questionnaire qui répondra à toutes vos interrogations en fonction de votre état d'esprit du moment : www.bachfloweressences.co.uk

UN BAIN
DE LUMIÈRE

À l'approche de l'hiver, et à plus forte raison au cœur du mois de janvier, on sent bien que la grisaille environnante joue sur notre équilibre émotionnel, sur l'état de notre humeur. Et pas vraiment en bien.

La luminothérapie permet de lutter contre l'invasion de ce sentiment dépressif dû en grande partie au manque de clarté. On peut passer d'une intensité lumineuse égale à 100 000 lux au cœur de l'été à une exposition qui tombe à 500 lux en hiver.
La luminothérapie consiste donc à compenser ce déficit en s'exposant quotidiennement devant une lumière blanche immitant celle du soleil.

Gros inconvénient : difficile de rester statique à attendre une source de lumière, même si rien n'interdit de lire (par exemple). Chez Kiria (www.kiria.com), l'enseigne spécialiste du bien-être, on peut trouver des Luminettes qui offrent l'avantage considérable de pouvoir bouger avec vous. Une bonne idée !

Si tout le monde n'a pas besoin de se regonfler à la lumière blanche, en revanche **tout un chacun peut apprécier de se réveiller avec un simulateur d'aube.** Il agit avec le même principe qu'en luminothérapie, prenant en considération l'influence de la lumière sur notre état d'esprit.

Le simulateur reproduit le lever du soleil : la lumière monte doucement et progressivement ; le réveil se fait en douceur, en pleine clarté plutôt qu'au son strident d'une alarme de réveille-matin. La méthode permet surtout d'aborder la journée plus détendue, plus sereine, pleine d'énergie.

ET LA CHROMOTHÉRAPIE,
ÇA SERT À QUOI ?

C'est une manière d'accéder au bien-être par les couleurs. À défaut d'en faire une véritable thérapie, on peut toujours estimer de quelle couleur on pourrait avoir besoin au cas où...

PATCHS EN COULEURS

····> **Besoin de calmer une petite colère ?** Le violet fera de l'effet.

····> **Besoin de développer vos capacités intuitives** (et d'éliminer des maux de tête) ? Regardez de l'indigo !

····> **Besoin de retrouver un peu d'apaisement** après une petite crise ? Entourez-vous de bleu.

····> **Besoin de lutter contre le stress ?** Un bain de jaune et il disparaît (enfin, on espère !).

····> **Besoin de retrouver du tonus ?** C'est de l'orange qu'il vous faut.

····> **Besoin de vous stimuler ?** Passez au rouge.

JE PASSE À LA ZÉNITUDE
AU QUOTIDIEN

Vous avez fait le tour des possibilités ? Entre le yoga et les Fleurs de Bach, vous avez fait votre choix ? Alors maintenant, il ne reste plus qu'à organiser votre vie en zen.

LES GRANDS PLAISIRS
DES PETITS RIENS

Pas besoin de s'exiler au cœur de la Chine rurale, dans un temple zen sauvé des eaux, pour s'approcher d'un sentiment de paix. Juste à côté de chez vous, il existe des espaces dédiés à la quiétude et qui n'attendent que vous. La preuve.

TROIS LIEUX ZEN AUTOUR DE SOI

✳ UNE ENVIE DE NATURE

Les jardins offrent une douce manière de s'extraire de l'affairement citadin et de la pression du quotidien. Ils portent l'empreinte de l'homme soucieux de maîtriser la nature pour le seul bonheur des promeneurs. Certains plus que d'autres encore se rapprochent de l'idée de zénitude, comme les jardins Albert-Kahn à Boulogne-Billancourt. Un rêve de son créateur, banquier humaniste, devenu réalité : Albert Kahn voulait y réunir toutes les civilisations et faire de son jardin une ode à l'harmonie. Vous y croiserez un jardin japonais (naturellement), mais aussi une forêt vosgienne, une roseraie ou un jardin anglais à quelques stations de métro du cœur de Paris.

✳ UNE ENVIE DE CHALEUR

Participez à une cérémonie du thé : Cha No Yu en japonais, ou Gong Fu Cha en chinois. La lenteur des gestes, leur beauté, leur raffinement et leur simplicité ne peuvent qu'envoûter. Dans ces conditions, boire du thé s'apparente bien plus à une expérience spirituelle que gustative.

Une authentique cérémonie du thé peut durer quatre heures. Mais il existe naturellement des versions écourtées tout aussi magiques. L'école du Thé du Palais des Thés organise des sessions de découverte www.palaisdesthes.com et vous pouvez suivre une authentique cérémonie auprès de Maître Yu Hui Tseng qui, quand elle ne parcourt pas l'Asie, initie à sa Maison des Trois Thés à Paris (01 43 36 93 84).

✳ UNE ENVIE D'ONCTUOSITÉ

S'initier aux senteurs, à la douceur de certaines crèmes, à leur onctuosité dans un environnement au design très épuré et avec un petit macaron à grignoter pour faire passer toute cette douceur, ça vous dirait ? ChezKi, « l'espace sensoriel » des soins cosmétiques Kenzo (www.chezki.com), on vous reçoit sans rien vous faire payer et on vous laisse partir, en plus, avec de petits échantillons juste pour vous et votre peau. Si ce n'est pas un rêve de fille zen, ça !

TROIS GESTES ZEN CHEZ SOI

Vous revenez de ChezKi en ayant fait un détour par votre jardin caché préféré et vous voudriez continuer à faire souffler cet esprit zen à la maison ? En réalité, les gestes du quotidien ont une dimension apaisante, à condition de les regarder différemment. « Il faudrait se laver les yeux entre chaque regard », disait le cinéaste japonais Kenji Mizoguchi. Essayez donc !

✳ LE PLAISIR DE RANGER (MAIS SI, C'EST POSSIBLE !)

Cette chose épouvantable qui jusqu'à maintenant s'apparentait à une terrible corvée, transformez-la en un art contemplatif. Commencez par vos placards. Ordonnez de jolies piles, savourez la régularité des pliages, humez l'odeur du linge propre (et profitez-en pour ajouter un sachet de lavande joliment enveloppé), et vous devriez ressentir l'apaisement d'un travail bien fait, en toute simplicité.

Tentez donc la même chose avec votre sac à main. Au-delà du bonheur que procure un ordre bien pensé, c'est une excellente manière de sentir son emprise sur le quotidien.

✳ LE PLAISIR DE MANGER

Réapprenez le bonheur de déguster des saveurs naturelles, sans sophistications ni adjonctions (au revoir crème fraîche et mascarpone...). Un filet de poisson, un légume de saison cuit à la vapeur, quelques herbes aromatiques dans une salade croquante, la fraîcheur d'un fruit ou d'un yaourt nature, bref des mets préparés en toute simplicité suffisent pour retrouver instantanément l'authenticité du goût.

✳ LE PLAISIR DE SE FAIRE BELLE

Faites une pause beauté.

Commencez par une séance exfoliation dans votre salle de bains, pour vous sentir dans une peau toute neuve, lavée de ses impuretés. Ensuite, nourrissez-vous de crèmes (celles-là, vous pouvez sans culpabiliser) et onguents pour vous assouplir et vous adoucir. Offrez un masque traitant à vos cheveux. Limez, poncez, peignez vos ongles. Et finissez par un atelier maquillage improvisé à la maison : sortez toutes vos couleurs, choisissez vos préférées (profitez-en pour éliminer les inutiles, les périmées et les excessives). Ensuite, suivez votre inspiration.

LE BONHEUR
DE LA SIESTE

Nos sociétés ultraperformantes la méprisent (« M'enfin, on n'est plus à la maternelle ! »). Pourtant, les très grands actifs (Léonard de Vinci, Napoléon... pour ne citer que les plus anciens) connaissent parfaitement ses bienfaits. Une pause de quelques minutes permet de recharger ses batteries et rend plus actif, plus créatif, plus alerte, plus vigilant, plus pertinent, plus pétillant. Que des bienfaits pour zéro inconvénient (à l'exception éventuelle d'affronter la tête du boss quand il déboule dans votre bureau).

Alors cultivez cet art de la pause, sans culpabilité, vous ne ferez qu'obéir à votre horloge biologique et vous en serez d'autant plus efficace pour affronter une journée stressante.

✳ LES HUIT RÈGLES D'OR POUR UNE BONNE SIESTE

⋯⋗ Profitez du début de l'après-midi où nos performances physiques et intellectuelles rasent les pâquerettes.

⋯⋗ Débarrassez-vous de vos chaussures mais prenez une petite laine.

⋯⋗ Installez-vous confortablement (dans votre fauteuil, allongée par terre, sur un divan...).

⋯⋗ Isolez-vous (répondeur branché, téléphone éteint).

⋯⟩ Déculpabilisez-vous, le sommeil n'est pas obligatoire, la somno-lence peut suffire (si ça vous effraie moins). Elle aussi est réparatrice.

⋯⟩ Sinon, optez pour un sommeil de 20 à 30 minutes (parfait pour se régénérer).

⋯⟩ Ou bien initiez-vous à la microsieste : pas plus de 10 minutes.

⋯⟩ Enfin, respectez un petit temps de transition avant de vous replonger dans vos activités.

CULTIVEZ
VOTRE CRÉATIVITÉ

Une vie zen n'implique pas seulement de lisser son environnement dans le sens du poil. Les placards bien rangés, quelques postures de yoga maîtrisées et hop ! on serait directement en route vers la sérénité ? Pas si simple ! Une vie zen a également besoin de créativité.

Or, le plus souvent, nous ne nous faisons pas confiance pour apporter un souffle nouveau à notre quotidien. Dommage, car ce manque d'estime pour nos aptitudes créatrices ne nous aide pas à voir la vie sous ses aspects les plus riants. Pourtant, il suffirait de peu pour utiliser au mieux nos capacités d'invention.

✳ LIBÉREZ VOTRE SPONTANÉITÉ !

* **Faites confiance à votre intuition.** Apprenez à écouter votre petite voix intérieure, sans la rejeter immédiatement.
* **Laissez faire vos idées** sans les censurer a priori ni porter de jugement sur elles : « Ce n'est pas bien ! », « Ça ne se fait pas ! », « Pour qui tu te prends ? », autant de justifications à mettre de côté, le temps d'examiner ce que vous pensez réellement, sans inhibition.

✳ OUVREZ-VOUS !

* **Éveillez votre curiosité.** Posez des questions. Si elles sont dérangeantes, on vous le fera savoir. Partez à la découverte de ce qui vous intrigue, vous passionne, vous inquiète...

* **Apprenez à écouter, pour vous nourrir des autres.** Laissez parler vos interlocuteurs. Obligez-vous à écouter une copine trois minutes chrono sans l'interrompre. Vous verrez, c'est étonnant comme l'exercice est difficile et pourtant passionnant.

✳ DÉPASSEZ LE QUOTIDIEN

* **Envisagez d'autres hypothèses face à une attitude systématique :** chéri vous vexe ? Vous boudez ! Mais vous pourriez aussi pleurer... Que se passerait-il alors ? Ou bien vous pourriez rager, éructer, blâmer, rire, et même oublier... À vous d'examiner les conséquences si vous deviez agir autrement. Même s'il ne s'agit que d'hypothèses, c'est généralement très éclairant et permet d'entrevoir d'autres chemins possibles.
* **Tentez d'appréhender différemment ce que vous faites tous les jours machinalement :** une bifurcation dans un trajet quotidien pour découvrir un nouveau paysage, une autre boulangerie pour tester un nouveau pain, une manière différente de dire bonjour...

NOURRIR DES **PENSÉES POSITIVES**

Nous sommes ce que nous pensons !

La vie moderne et son cortège de fléaux (pollution, bruit, nuisances diverses, la vie à cent à l'heure...), les choses qui nous entourent sont des vraies sources de stress. Mais nous ne sommes pas en reste. Nos pensées intérieures aussi se chargent de nous stresser : « Je n'y arriverai pas ! », « C'est impossible ! », « J'suis trop nulle ! »... Qui ne cède pas à ces exercices d'autodénigrement quotidiens ? Alors pourquoi ne pas tenter d'inverser les choses ? Et si on essayait de chasser ces pensées négatives qui nous encombrent, pour les remplacer par des pensées positives qui ne demandent qu'à prendre leur place ? Si seulement on voulait bien essayer.

CINQ FORMULES POUR VOIR LA VIE EN POSITIF :

✳ **OPTION 1 :** J'ÉNONCE MES VŒUX.

Je me réveille en formulant trois attentes positives, même, et surtout, les plus anodines : voir sourire mon chéri, avoir des cheveux qui brillent, attraper le bus de 7 h 45... Pour réapprendre à apprécier les petits faits positifs du quotidien.

✳ **OPTION 2 :** JE PENSE AU PRÉSENT.

Aujourd'hui, là, maintenant et non pas demain, plus tard, ou dans un jour... Ces futurs laissent s'installer le doute sur nos réelles capacités à agir.

✳ **OPTION 3 :** JE BANNIS LES NÉGATIONS.

« Je ne suis pas sûre ! », « Je ne crois pas ! », « Je ne pense pas ! », comme ces autres négations qui sont censées nous rassurer, du genre « Il n'y a pas de problème ! », mais qui nous laissent imaginer qu'en réalité il y en a un... de problème.

✳ **OPTION 4 :** JE FORMULE LE POSITIF.

Je pense à énoncer clairement ce qui me fait plaisir, me ravit, m'émeut... De se l'entendre dire, le plaisir en est décuplé.

✳ **OPTION 5 :** JE ME RESSOURCE.

Pourquoi ne pas s'appuyer sur quelques citations positives chaque jour (à afficher sous son nez), comme celle d'Abraham Lincoln : « Gardez toujours à l'esprit que votre propre décision de réussir est plus importante que n'importe quoi d'autre » (www.evene.fr). Si Lincoln le dit...

TEST ÊTES-VOUS SPEED OR SLOW ?

Répondez par « oui » ou par « non » à ces sept questions :

1. Maxi file d'attente : vous reposez tous vos paquets et vous filez (plutôt furibarde).
   OUI/NON

2. Vingt-quatre heures de retard à votre commande sur www.tousleslivresdumondeentier.com. Vous demandez illico un remboursement ?
   OUI/**NON**

3. Sortie de la quinzième saison de Desperate Housewives. Pfeuf, vous l'avez déjà !
   OUI/**NON**

4. Les compensées de l'été. Vous êtes capable de les acheter en janvier ?
   OUI/**NON**

5. Faire deux choses en même temps. Facile !
   OUI/NON

6. Au bureau : un bon repas est un repas vite avalé ?
   OUI/**NON**

7. Pour se faire entendre, rien de mieux que d'élever la voix ?
   OUI/**NON**

RÉSULTATS

···⟩ **Vous avez plus de trois réponses positives ?**
   Tendance speed

Indéniablement, dans la vie, vous préférez ne pas attendre. Quitte à tout avaler par bouchées doubles et à en perdre le goût ? Parfois. Vous mesurez l'avantage d'une pensée rapide : au bureau, dans la vie de tous les jours, vous êtes capable de réagir au quart de tour, d'évaluer une situation en un clin d'œil. C'est formidable ! Mais ne négligez pas les apports de la lenteur. Ralentir permet d'augmenter sa créativité (rêver pour laisser venir les bonnes idées) et d'améliorer ses capacités d'analyse (prendre du recul pour mieux comprendre les enjeux). Ça aussi, c'est formidable. Marier les deux, c'est encore mieux !

···⟩ **Vous avez moins de trois réponses positives ?**
   Tendance slow

Vous savez que rien ne sert de courir, mais qu'il faut partir à point. La patience vous est innée et vous permet de voir venir, sans vous affoler. Ce qui ne signifie pas que dans certaines circonstances vous ne sauriez pas être hyperréactive. Mais quand il le faut, vous savez prendre votre temps, apprécier les choses de la vie et vous préserver de la culture du « tout speed ». Qui peut croire qu'un repas mou et vite ingurgité est bon pour les papilles comme pour la santé ? Et qui peut sérieusement penser qu'en sept minutes on peut trouver l'homme de sa vie ? Eh bien, pas vous !

SE PRÉPARER
À BIEN DORMIR

Ce serait bête de gâcher toute cette sérénité accumulée dans la journée par une nuit agitée ! Multipliez votre potentiel de zénitude en vous préparant à bien dormir. C'est le secret d'un lendemain réussi !

✳ ORGANISEZ UN SAS DE DÉCOMPRESSION

Retour à la maison ? Ce n'est pas le moment de s'engager dans un tunnel de stress ménager : aïe ! les courses pas faites, le repassage en plan, le ménage abandonné. C'est certain, vous devrez vous y consacrer. Difficile en effet d'y échapper. Mais pas tout de suite. Accordez-vous dix à quinze minutes pour reprendre pied chez vous : caresses au chat, mots gentils pour chéri... Et puis un thé ? Une tisane ?

✳ CHASSEZ LES ACTIVATEURS DE TENSION

Évitez les excitants avant une soirée dédiée au repos : pas d'alcool, ni de café ou de repas trop copieux. Mais sachez également éviter (autant que faire se peut) la dispute avec chéri (ou quiconque de votre entourage) comme le jogging du soir (trop d'agitation pour enchaîner avec un long sommeil).

✳ PRATIQUEZ LES ÉTIREMENTS

Le corps a besoin de se dénouer des tensions accumulées à votre insu dans la journée. Une proposition : tenez vos pieds écartés en parallèle (de la largeur du bassin), tandis que le bassin, le dos et les bras sont à l'horizontale en prenant appui sur un mur ou sur le dos d'une chaise. Vous formez un « L » inversé. Tendez les jambes comme si votre bassin devait reculer. Étirez votre corps et vos bras pour détendre vos muscles.

✳ METTEZ EN SCÈNE VOTRE NUIT

* Des draps qui sentent bon ont un indéniable effet relaxant. Optez pour une brume d'oreiller aux senteurs extrêmement légères.

* Vous lisez avant de vous endormir ? Allumez une bougie pour le sentiment de chaleur rassurante qu'elle procure.

* S'il fait doux à l'extérieur, laissez entrer un peu d'air.

* Évitez les champs électriques. Dans la mesure du possible, éloignez de vous câbles sous tension, ordinateurs en veille, téléphones portables qui se rechargent...

* Branchez vos écouteurs : une musique douce, le son de la pluie, le froissement des feuilles dans le vent... Écoutez les sons qui vous apaiseront.

* Faites-vous un film : imaginez une situation, un lieu, un état dans lesquels vous vous sentez particulièrement bien et laissez vos pensées dériver autour de ces images évocatrices de bien-être...

Et je me sens SU-PER BIEN.

ZEN, AVEC LES AUTRES

***

En compagnie, on zen mieux !
(Enfin, faut voir...)

PRÊTE À SORTIR
DE VOTRE BULLE ZEN ?

Bien détendue, quasi sereine, vous sortez d'une vigoureuse séance d'ashtanga yoga. Vous êtes prête à croquer la vie sans souci. Et voilà que surgissent devant vous, sans prévenir : GI Joe, votre boss, furax parce que le rapport Urgentissimo n'est toujours pas parti (« La faute à qui, hein ? »), et Huguette, votre collègue de travail, qui s'en mêle (« Et GI Joe, il sait où tu en es sur le rapport Prestissimo ? »). Et voilà que votre mère appelle au même moment (« Allô, Moumoune, tu as bien deux secondes à me consacrer ? Parce que c'est important ! Rapport à ton père et sa voiture... ») et que chéri vous textote : « G Sé pas ou AL dinE pour ton anniv. Big bisous ! »

> Bon, allez, on arrête de se raidir,
> et tout en souplesse, on part affronter
> les causes exogènes du stress.

Au boulot !

« L'ouvrier qui veut
faire son travail doit
commencer par aiguiser
ses instruments. »

Confucius

TEST ÉVALUEZ VOTRE POTENTIEL DÉTENTE AU BUREAU

Des raisons de s'énerver au travail ? Certainement.
Mais dans quelles proportions est-on exaspérée ? Ça reste à évaluer.
Faites le point en répondant à ces dix questions.

1. **Grosse pression sur le rapport Minedor. Comment réagissez-vous ?**
   a. Vous vous en voulez : vous vous sentez totalement abattue. ◆
   b. Le speed dans lequel vous êtes. C'est terrible ! ★
   c. C'est le moment de pulser. Vous y arriverez bien. ✣

2. **Que préférez-vous ?**
   a. Un travail bien fait ★
   b. Un travail rapidement mené ◆
   c. Un travail approfondi ✣

3. **Voyage professionnel. Départ à 6 h du mat' :**
   a. Tout est préparé depuis la veille : valise, ordi, magazine, en-cas, chewing-gum... ✣
   b. Levée à 4 h du mat' pour parer à toutes les éventualités (une grève est si vite arrivée !). « Enfin, 4 h du mat', ce ne serait pas déjà trop tard ? » ★
   c. Vous re-re-revérifiez que vous n'avez rien oublié. Une aspirine, peut-être ? ◆

4. Consigne donnée : « C'est urgent à traiter ». Vous :
  a. Faites passer ça en premier. ◆
  b. Traitez l'urgence après ce qui est top méga important. ♣
  c. Demandez laquelle des urgences est la plus urgente. ★

5. On pourrait dire de vous que vous êtes plutôt :
  a. Super consciencieuse ★
  b. Super active ◆
  c. Super décontractée ♣

6. Au boulot, votre principal ressort est :
  a. L'émulation ◆
  b. L'approbation ★
  c. Le plaisir ♣

7. Un conflit pointe le bout de son nez. Vous :
  a. Disparaissez. Parce que vous détestez ! ★
  b. Affrontez. Mais vous somatisez. ♣
  c. Temporisez. Bien que fulminant intérieurement. ◆

8. Ça jacasse à la machine à café. Et pas que pour dire du bien :
  a. Vous écoutez. Normal ! ◆
  b. Vous participez. Ça soulage ! ★
  c. Vous ne comprenez pas. À quoi ça peut bien servir, si ce n'est à se démoraliser ? ♣

9. **Ça bouge du côté de la haute direction. Il va y avoir du changement :**
   a. Super, de l'air neuf arrive ! ✤
   b. Aïe ! il va y avoir des retombées sur les plus petits. ★
   c. Pas de soucis, ils ne prennent jamais de bonnes décisions. ◆

10. **Votre agenda :**
    a. Il est un tantinet brouillon. ◆
    b. Méga high tech. ✤
    c. Codé ! ★

À VOUS DE JOUER !

Calculez vos ★ *et vos* ◆ *ou vos* ✤ *pour déterminer votre profil.*

⋯◈ Vous avez une majorité de ★
Le bureau vous affole (parfois).

En tout cas, il est fréquemment une source de stress que vous aimeriez bien apprendre à maîtriser. Désagréable, en effet, de se sentir chamboulée par ses émotions au point de perdre une certaine clairvoyance et donc une relative efficacité (« Ça va de pair, non ? »). Pas d'inquiétude, vous savez toujours retomber sur vos pattes mais l'exercice vous essouffle.

⋯◈ Vous avez une majorité de ◆
Le bureau vous stimule (souvent).

Mais vous soucie parfois, aussi. Vous aimeriez bien savoir comment contenir ces légers débordements, ces petites vagues de pessimisme qui vous donnent envie de baisser les bras, d'en faire un peu moins… (« Ah, ce que le bureau est gris aujourd'hui ! »). Bref, vous aimeriez bien réussir à éloigner ce stress qui pointe parfois le bout de son nez.

⋯◈ Vous avez une majorité de ✤
Le bureau vous épanouit (plutôt).

Mais vous donne parfois du fil à retordre. Au point qu'il vous arrive de perdre votre bel équilibre. Ça ne se voit pas forcément. Vous savez donner le change (« Z'êtes sûre ? »). Mais parfois vous vous sentez minée par une petite pointe d'inquiétude qui dérange l'harmonie dans laquelle vous évoluez. Eh oui, tout n'est pas « que » rose au boulot. Dommage !

JE PRENDS **MON TEMPS**

L'idée n'est pas tellement de tout faire au ralenti. Ça passerait mal !
Mais plutôt de dégager du temps pour faire plus, mieux, différemment...
Dans tous les cas, pour se sentir moins stressée. Un peu d'organisation,
c'est la clé du succès. Mais comment s'y prendre ? On commence par
quoi : ce qu'on aime, ce qu'on déteste ou la machine à café ?

Check-list des indispensables pour gagner du temps (et de la
tranquillité d'esprit)

✳ JE MAÎTRISE LA TECH

L'ordi et ses compagnons de route (Power Point, Excel, et leurs
copains), le téléphone et ses périphériques (agenda, appareil photo,
Skype, et tutti quanti), on est environné d'outils ultra sophistiqués.
Mais sait-on vraiment les manipuler ? Maîtriser tous ces engins et
leurs fonctionnalités, c'est le gage d'une meilleure efficacité. Alors,
on se jette sur les modes d'emploi qu'on boudait et on se fait une
petite formation accélérée pour réaliser un super Power Point de
ses dernières vacances à la Motte-Beuvron (« Mais "si" elles étaient
super ! »).

Et en + : ça fait pro de la mort qui tue. Une bonne carte à jouer pour
se rendre indispensable.

✳ J'ÉLOIGNE LES INTRUS

Le téléphone n'arrête pas de sonner ? Très bien, c'est le signe qu'on
vous apprécie particulièrement. C'est aussi le meilleur moyen pour

ne pas se concentrer. Laissez un message sur votre répondeur :
« Rappelez-moi à 16 h, je serai top dispo. » Le temps de s'accorder
deux bonnes heures pour boucler un travail qui nécessitait un minimum de solitude. Les mails pleuvent ? Vous n'êtes pas obligée de
les traiter en direct. Vous pouvez aussi décider de les consulter (et
d'y répondre) toutes les heures ou bien à trois ou quatre moments
stratégiques de la journée. Comme une espèce de pause dans votre
temps de travail.

Et en + : ça fait retomber la pression. Quel bonheur de ne pas être
obligée de « communiquer » en permanence !

✳ J'ORGANISE MES PRIORITÉS

En préalable à toute action, mieux vaut passer par la case
« Analyse ». Donc, prenez le temps d'examiner au microscope la
façon dont vous gérez votre temps de travail. Dressez une fiche de
temps quotidienne pour une semaine type. Heure par heure, minute
par minute, notez ce que vous faites : « De 8 h à 8 h 35, debriefing
sur le dossier Urgentissimo », « De 8 h 35 à 9 h, debriefing avec
Huguette sur la composition du dîner de ses cinq têtes blondes ».
Ensuite, il n'y a plus qu'à exclure ce qui vous encombre, comme par
exemple : être parfaitement au point sur le menu des petits d'Huguette
(vous ne pensiez pas que ce genre de conversation prenait autant
de temps, n'est-ce pas ?).

Et en + : ça permet de rêvasser pendant toutes ces minutes conquises
(éventuellement). On gagne en liberté morale.

SECRET D'UNE
GESTION DE CRISE

Apprenez à distinguer ce qui est urgent et ce qui est important.

┈┈┊ Commencez par ce qui est à la fois urgent et important, c'est-à-dire ce qui nécessite d'agir vite, sinon cela vous mettrait au bord de la faute ou bien votre entreprise chérie en souffrirait (« Mais où sont passés ces 5 milliards d'euros, hein ? Où ? »).

┈┈┊ Puis traitez ce qui est simplement important.

┈┈┊ Et finissez par ce qui n'est « que » urgent.
Enfin, soufflez un grand coup (retrouvés, les 5 milliards d'euros. Ouf !).

TÉMOIGNAGES **LES PATCHS DES COPINES AU TRAVAIL**

Rien de mieux que le vécu. Comment les filles font-elles pour se décontracter au bureau et retrouver le sourire quand elles ont l'impression de se noyer dans leurs dossiers ?

✶ Mathilde, 25 ans, journaliste.

« Je travaille chez moi. Donc pas de petites pauses avec les collègues pour me déstresser face à mon ordi. Alors, je m'accorde une visite sur facebook (www.facebook.com) par jour. C'est ma machine à café, à moi ! Je me marre, je me fais plein de copains, bref ça me permet de sortir de mon isolement et de me détendre. Et j'y mets fin comme je veux, contrairement aux discussions à la machine à café ! »

✶ Léa, 31 ans, juriste.

« Je pose des affiches ! On est très nombreux dans mon bureau. Quand j'ai besoin de ne pas être interrompue, je colle une feuille au dos de mon ordi avec plein de messages pour prévenir que si on rompt mon isolement, ça va barder... »

✶ Géraldine, 28 ans, consultante.

« Je me réserve toujours la matinée pour ce qui est vraiment difficile à faire. J'ai remarqué que c'est à ce moment-là que je suis la plus disponible. Après, qu'on le veuille ou non, la fatigue et le stress s'accumulent et je trouve qu'il est plus difficile de se concentrer. »

JE ME DÉTENDS
LES MUSCLES

Tout est dans le geste...

✳ ASSISE
Trois bons trucs pour se relaxer

✳ COMPTEZ VOS MUSCLES

* Passez intérieurement en revue toutes les parties de votre corps soumises à des tensions : tête, mâchoires, nuque, épaules, bras, mains, dos, ventre, fesses, cuisses, genoux, mollets, pieds, orteils.
* À chaque partie, arrêtez-vous pour détendre les contractions qui se sont installées : assouplissez la tête, faites bouger la nuque, remuez vos épaules, vos bras, vos mains...

L'exercice ne prend pas beaucoup de temps en réalité, mais il permet à l'esprit de se recentrer sur le corps, dont on ne se soucie guère quand on travaille. Alors que pourtant il encaisse notre stress. Une vraie pause détente.

✳ FAITES LA BOULE

* Reculez votre siège du bureau.
* Tout en restant assise, attrapez vos tibias en vous penchant en avant, le dos rond. Faites ce mouvement avec une certaine lenteur, jusqu'à ce que la pointe de votre nez touche vos genoux. Restez quelques secondes en boule. Puis remontez doucement votre corps en déployant votre dos.

* Vous pouvez faire de même avec les jambes écartées, la paume des mains posée sur vos genoux. Courbez et penchez le dos, jusqu'à ce que votre tête pende entre vos jambes. Restez ainsi quelques secondes.

Une bonne manière de détendre le dos et la nuque qui sont les principaux points de tension quand on travaille assise.

✳ JOUEZ À LA TÊTE DE LINOTTE

Assise, on en prend plein la tête. Elle travaille trop, sans bouger ! Alors faites-la remuer.

* Penchez votre tête du côté gauche comme si votre oreille devait toucher votre épaule.
* Faites de même du côté droit.
* Plongez (doucement) votre menton vers votre poitrine. Puis faites le mouvement inverse, c'est-à-dire en arrière vers votre colonne vertébrale.

Vous avez fait tout le tour ? C'est parfait !

JE ME DÉTENDS
LES MUSCLES (LA SUITE)

Il n'y a pas que des gens qui travaillent assis. Il y a aussi tous ceux qui rêveraient de s'asseoir sur une chaise mais qui n'ont pas d'autre choix que de faire reposer leur poids sur leurs pieds. À eux également de se détendre...

✳ DEBOUT
Trois bons trucs pour se relaxer :

✳ UN GROS ÉTIREMENT

···✳ **De grands gestes pour des petits mouvements qui détendent...**

* Le corps bien droit, le regard vers l'avant, les épaules détendues, les bras le long du corps bien droits, rejoignez vos mains et croisez vos doigts, paumes vers le sol.
* Pratiquez quelques mouvements vers le bas comme si vous deviez appuyer sur quelque chose.
* Remontez vos bras, les doigts toujours liés et les paumes vers l'extérieur, à l'horizontale. Poussez également vers l'avant, comme si vous deviez appuyer sur quelque chose.
* Remontez les bras, les doigts toujours liés et les paumes à l'avant, vers le ciel, en évitant de trop creuser votre dos. Pratiquez quelques mouvements d'extension comme si vous cherchiez à toucher quelque chose.
* Relâchez vos bras sur le côté en expirant.

✳ UN SACRÉ COUP DE FOUET

⋯⋗ **Les bras aussi supportent toutes les tensions d'une longue station debout.**

* Jambes très légèrement écartées, buste bien droit, levez vos bras à l'horizontale le long de votre corps.
* Faites retomber vos bras sans chercher à maîtriser le mouvement de descente, comme s'il s'agissait de deux lourdes pierres que vous lâchez brusquement.
* Laissez vos bras et vos mains se détendre le long de votre corps dans un mouvement de balancier.
* Répétez ce geste plusieurs fois.

Une manière toute simple de détendre bras et épaules crispés.

✳ UNE PETITE CONTRACTION/DÉCONTRACTION

⋯⋗ **Un exercice qui se pratique en toute discrétion.**

* Bien droite, bras le long du corps, jambes à peine écartées l'une de l'autre, bloquez votre inspiration quelques secondes en contractant les muscles de vos jambes et de vos fessiers (comme si vos genoux rentraient en dedans).
* Relâchez tout, laissez la tension s'évanouir en expirant.

À pratiquer à plusieurs reprises.

J'ASSOUPLIS
MES NEURONES

Vous affrontez régulièrement des situations stressantes au boulot ?
Pas d'inquiétude !

✳ SIX TRUCS ANTITRAC

Prise de parole en groupe, entretien avec le boss, exposé devant
un client, les raisons de voir ses pulsations cardiaques monter, sa
gorge se nouer et son ventre se creuser sont nombreuses au cours
d'une journée de boulot.

···⟩ **Pas de souci. On maîtrise :**

* **Relativisez.** L'exercice vous angoisse a priori mais prenez le temps
  d'évaluer ses véritables enjeux. Noir sur blanc. Vous y verrez plus clair.

* **Positivez.** N'imaginez pas le pire. Écartez les scénarios catastrophes.
  Au contraire, envisagez le meilleur.

* **Répétez.** Le meilleur moyen de se rassurer est d'être sûre de ses
  connaissances. Prenez le temps de bien préparer votre exercice,
  quel qu'il soit (un tour sur Internet pour bien connaître votre interlocuteur, une présentation claire de votre exposé…).

* **Respirez.** Adoptez une méthode de respiration relaxante, le temps de
  vous poser avant de parler. Expirez doucement par la bouche tout en
  rentrant le ventre. Inspirez doucement par le nez tout en gonflant le
  ventre. Répétez l'opération plusieurs fois.

* **Regardez.** Ne cherchez pas à fuir le regard de votre interlocuteur. Au contraire, prenez appui sur lui.

* **Prenez la parole.** Sans chercher à avoir réponse à tout. Une question vous déstabilise ? Vous n'avez pas les éléments pour répliquer ? Ça peut arriver ! Dites que vous ne savez pas, que vous devez vous renseigner, faire des recherches et que vous ne manquerez pas de revenir avec plus d'éléments.

EN FAMILLE,
JE ME RESSOURCE
COMMENT ?

On rêve d'une famille épanouie, joyeuse et heureuse.
La réalité n'est pas toujours à la hauteur. Ainsi, du
matin au soir et du soir au matin, la vie de famille
offre des tas de raisons de stresser. C'est grave ?

« Tenir en bride sa propre famille
n'est pas moins difficile que
de gouverner une province. »

Tacite

TEST EXPRESS

1. **Un excellent rythme de visite ?**
Dans la réalité ? Ce serait une fois par semaine ! ✤
C'est un rêve ? Alors, une fois par an ! ★

2. **Une qualité pour durer parmi les siens :**
L'endurance. ★
L'affection. ✤

3. **Noël =**
Bourdon. ★
Flonflons. ✤

4. **Votre formule secrète à table ?**
Toujours sourire. ✤
Ne jamais répondre. ★

5. **Parfois, vous vous sentez :**
Incomprise. ★
Surestimée. ✤

6. **Un conflit surgit :**
   Entre qui ? ✤
   Pourquoi ? ★

7. **On vous fait des reproches :**
   Vous obtempérez. ✤
   Vous fuyez. ★

8. **Vous avez présenté votre chéri :**
   Très tard. ★
   Très vite. ✤

9. **Pas d'anniv' sans :**
   Fatigue physique (trop de monde, trop de bruit...). ✤
   Dérapages verbaux (trop de discussions, trop de points de vue...). ★

10. **Sans famille, ce serait :**
    Absolument triste. ✤
    Totalement vide. ★

⠿ **Vous avez une majorité de** ★
Vous êtes placée plutôt sur le côté.

La famille, ce n'est pas tellement que vous ne l'appréciez pas. Ce serait plutôt que vous vous en méfiez. Vous la suspectez d'être une source de conflits plus qu'une fontaine de bonheurs. Et finalement, le meilleur moyen que vous ayez trouvé de vous en protéger est bien de ne pas trop vous en mêler. Le seul souci est qu'il n'est pas si facile de conserver ce regard distancié. Et il vous arrive de vous surprendre à être parfois vexée par cette tribu que vous pensiez avoir maîtrisée, de loin.

⠿ **Vous avez une majorité de** ✤
Vous êtes placée presque en plein milieu.

Si vous n'êtes pas au centre du portrait de famille, il s'en est fallu de peu. Qu'elle vous réjouisse ou qu'elle vous exaspère, vous en êtes une pièce maîtresse, active et essentielle. Au cœur des discussions, même si elles prennent des accents pénibles, et des événements, même s'ils ont une apparence de corvée, on vous trouve. Comment cela se fait-il ? C'est bien là qu'est la question. Pourquoi la famille vous occupe-t-elle autant l'esprit. Mystère ! Enfin...

J'ARRÊTE
DE ME PRENDRE LA TÊTE

Quelles que soient les stratégies développées pour faire en sorte de pacifier ses relations familiales, **la clé du succès réside dans le regard que vous portez sur votre cellule de base.**
Plus ce regard sera bienveillant, empathique, plus il vous sera facile de ne plus vous prendre la tête avec elle. (Enfin, dans la mesure du possible...).

LE BONHEUR EN FAMILLE
ET AILLEURS...

Pratiquez donc un peu de psychologie positive...

Trois formules magiques (et positives) à tester :

* 1. JE VOIS TOUT EN ROSE
(ET POURTANT, JE NE M'APPELLE PAS BARBIE)

Émile Coué, le bon pharmacien dont on s'est tant moqué, avait pourtant raison : l'autosuggestion consciente est une arme redoutable.

⋯⋗ **Son principe ?** Tout dépend du regard que vous portez sur une situation pour qu'elle prenne la tonalité que vous voudrez bien lui offrir. Si, effectivement, il y a peu de probabilités de résister à une température en dessous de zéro par la seule force de la pensée (« même-pas-froid »), il n'en est pas moins vrai que d'examiner une situation sous son meilleur jour lui donne des atours différents que lorsqu'on décide de la voir tout en noir.

Donc, on voit tout en rose...
Allez, essayez !
Bon, ça ne marche pas toujours
du premier coup...
Alors, on vous aide :

Tentez quelques pistes pour rosir votre regard :

✳ **Prenez soin de vous** (c'est le point de départ nécessaire).

✳ **Pratiquez la gentillesse** (elle vous sera rendue au centuple).

✳ **Trouvez un guide :** le dalaï lama, Émile Coué lui-même, Confucius, votre vieille voisine Adèle, votre ex-prof de philo... (il vous permettra de voir plus juste).

✳ **Pacifiez vos relations amicales et familiales** (un peu d'attention = beaucoup d'affection).

✳ **Sachez pardonner** (le meilleur moyen de ne pas s'encombrer de ressentiments).

✳ **Méditez cette citation :** « Ayez la certitude d'obtenir ce que vous cherchez et vous l'obtiendrez, pourvu que cette chose soit raisonnable. » Elle est d'Émile Coué en personne.

POURQUOI C'EST BIEN
DE VOIR EN POSITIF ?

* C'est accessible à tout moment. On teste. Ça marche ? Super. Ça ne marche pas ? On recommence, cela ne coûte rien.

* On peut s'y prendre toute seule. Pas de gourou, pas de thérapeute, ça se pratique à la maison comme on veut.

= C'est tout simple !

2. JE COMPTABILISE LES PLAISIRS
(ET J'EN AI PLUS QUE JE NE CROIS)

On n'a pas forcément la reconnaissance du ventre. La vie nous offre des cadeaux, mais il nous arrive le plus souvent d'oublier de la remercier pour ses présents. Et quand on parle de cadeaux, on ne veut pas dire uniquement le jackpot de l'Euro Millions, mais plutôt ces choses toutes simples du quotidien : le bonheur de prendre un thé avec une amie, un mail gentil, une attention d'un inconnu dans la rue...

Pour réparer cette manifestation d'ingratitude, le pape américain de la psychologie positive, le professeur Martin Seligman, de l'université de Pennsylvanie, conseille de tenir un journal. Pourquoi ? Pour y transcrire chaque jour les deux ou trois événements positifs de la journée, la façon dont ils nous ont apporté plaisir, satisfaction, joie... Et enfin la manière dont on a contribué à ce moment de bonheur. Une manière positive de reconnaître ce que la vie nous apporte et d'atteindre les plus hautes marches de notre échelle personnelle de félicité.

NOS VALEURS
BONHEUR

Les professeurs Martin Seligman et Christopher Peterson* ont dressé une cartographie des valeurs et des forces qui, dans toutes les cultures, sont l'apanage du bonheur. Ils nous invitent à repérer les nôtres et à prendre appui sur elles dans nos actions au quotidien. Les voici :

LA SAGESSE ET LA CONNAISSANCE
C'est-à-dire la créativité (mais pas uniquement dans le domaine artistique), la curiosité, l'ouverture d'esprit, le plaisir d'apprendre, l'intelligence pratique...

LE COURAGE
C'est-à-dire la persévérance, la constance au travail, l'intégrité, l'honnêteté...

L'HUMANITÉ
C'est-à-dire la capacité à aimer (et à se faire aimer), la bonté, l'intelligence sociale...

LA JUSTICE

C'est-à-dire le civisme, l'impartialité, la capacité à travailler en équipe...

LA TEMPÉRANCE

C'est-à-dire le pouvoir de pardonner, l'humilité et la modestie, la prudence, la maîtrise de soi...

LA SPIRITUALITÉ

C'est-à-dire savoir apprécier la beauté et l'excellence, la gratitude, l'espérance, le sens de l'humour, l'élévation d'esprit...

Il ne vous reste plus qu'à repérer les vôtres !

* Character Strengths and Virtues, Oxford University Press.

3. UNE SEULE CHOSE À LA FOIS
(POUR UNE FOIS !)

Nos vies trop actives nous empêchent de savourer les plaisirs présents. **Pourquoi ?** Parce qu'on ne sait plus faire une seule chose à la fois. Dans nos moments d'intimité, à la maison, on discute tout en préparant le dîner, on lit tout en téléphonant, on échange avec les enfants tout en rangeant... Très bien ! C'est certainement une manière efficace de gérer son temps. Mais c'est également la certitude de ne pas goûter pleinement un instant de plaisir. Dommage !

DÉDIEZ-VOUS À CE QUE VOUS FAITES

Comme, par exemple :

* **Recevoir un baiser langoureux...** sans jeter un coup d'œil à la cuisson des conchigliette.

* **Écouter le récit d'une mésaventure de bureau** (« Et alors là, je lui ai rabattu son caquet ! »)... sans suivre Mireille Dumas à la télé.

* **Choisir une séance de ciné** avec chéri qui ne sait pas trop ce que vous préférez entre *Alien, le 13e retour* et *Si on allait revoir Chandernagor*... sans avoir le portable collé à l'oreille (« Naooooon, Lulu, tu ne lui as pas dit çaaaa ? »).

* **Jouer avec le petit Léon...** sans ranger sa collec' complète de Playmobil.

* **Dîner avec Lulu...** sans écouter la conversation des voisins, certes palpitante (« C'est pas d'chance ! Il a eu son infarctus juste avant de modifier son testament... »).

Bref, ne faire qu'une seule chose à la fois. Et complètement de surcroît !

JE FAIS FACE
À MES ÉMOTIONS

Colère, tristesse, joie, nous sommes faites d'émotions. Très souvent positives (même la colère peut être une bonne compagne quand elle nous permet d'exprimer nos valeurs, par exemple), elles peuvent être aussi ressenties comme trop fortes, trop envahissantes. Et en famille, elles font parfois office de feux d'artifice dévastateurs. Alors, on se laisse déborder, quitte à le regretter ? Pas forcément. Il existe des moyens de les traverser sans (trop) stresser.

✳ RECONNAISSEZ VOS ÉMOTIONS

Depuis notre petite enfance, on nous a appris à cacher ces manifestations intempestives : « Pleure pas ! », « Ne dis pas ça ! », « Veux-tu bien arrêter de !... ». Moralité, on ne sait pas forcement distinguer nos émotions et a fortiori en parler. Pourtant, il est difficile d'agir sur elles si on ne les regarde pas en face.

⋯▷ **Énoncez clairement ce que vous ressentez :** « J'ai de la peine... », « J'ai honte... », « Je suis furieuse... ». L'écrire peut être un excellent moyen d'y voir plus clair : « Qu'est-ce que j'ai ressenti ? », « Comment ça s'est exprimé ? »...

✳ EXPRIMEZ-VOUS EN VOTRE NOM

« Il devrait savoir que je déteste ça... » « Elle a bien vu que j'étais fâchée... » Sous prétexte qu'en famille on est censé très bien se connaître, on en conclut un peu trop vite que nos pensées sont transparentes, lisibles par tous. Et que si certains ne veulent pas voir ce qu'on ressent, c'est qu'ils font semblant (Oh, les méchants !). Pourtant, il y a fort à parier qu'il n'en est rien.

···⟫ **Communiquez vos émotions.** Dites ce que vous ressentez. Même si votre visage parle pour vous (moue boudeuse, crocs sortis, yeux de cocker...), les sous-titres sont quand même nécessaires. Un excellent moyen de se faire entendre est d'adopter des phrases qui commencent par « je » et non pas par un « tu » accusatoire qui a toutes les chances de ne pas être reçu 5/5.

✳ CE QUI SE CONÇOIT BIEN S'ÉNONCE CLAIREMENT

Pour éviter l'escalade verbale ou bien son opposé, le mutisme lourd (deux techniques généralement fort prisées en famille), mais néanmoins faire passer son message, il convient de s'exprimer dans les formes. À défaut, les informations ne seront pas reçues correctement (les quiproquos en famille sont également très prisés).

···⟫ **Partagez vos émotions.** Formalisez votre part de responsabilité : en énonçant vos émotions, n'oubliez pas de reconnaître votre participation. Et demandez du soutien. « Quand j'entends ce genre de remarque, je me sens triste. Est-ce qu'on pourrait discuter de ça autrement ? »

SURVIVRE EN FAMILLE

Les trucs des copines pour franchir sans encombre les pics émotionnels.

« Nous, on s'écrit. On s'aime beaucoup et je crois qu'on a peur de se froisser les uns les autres quand il y a un truc un peu dur à avaler ou à faire passer. Alors, on se laisse des petits mots. Ce qui est drôle, c'est qu'en revanche on se répond de vive voix, rarement à nouveau par écrit. Plus facile d'écrire que de dire : "J'ai vu que ça, ce n'était pas bien passé, alors je te l'explique !" ou, au contraire : "Tu vois, ça j'arrive pas à le supporter, ce serait bien qu'on fasse autrement..." En tout cas, c'est notre manière de faire ! »

✳ Anne-Claire, 26 ans, attachée de presse.

« Quand je dois faire face à de l'agressivité ou à de la jalousie de la part de mes sœurs (nous sommes trois et je suis l'aînée), j'essaie de replacer leurs réactions dans mon contexte familial. Je sais que c'est plus par rapport à nos parents qu'elles s'expriment comme ça. Elles ont des comptes à régler avec eux. Or c'est plus facile de me dire à moi des choses agressives qu'à eux. Voilà, en fait, cela me permet de mettre de la distance. »

✳ Noémie, 31 ans, scénariste.

« Depuis que j'ai un enfant, je comprends mieux le ressort des agacements familiaux, du moins dans la relation parents/enfants. En fait, on est vite agressif ou énervé quand on angoisse. Et plutôt que de dire : "Je m'inquiète", on balance des ordres, des injonctions, sans trop de précautions. Forcément, on les prend plutôt mal. Mais ensuite, moi, j'essaie de revenir sur ce qui s'est passé et d'analyser : qu'est-ce qui les inquiète là-dedans, qu'est-ce qui se joue pour eux ? L'agressivité a toujours un fondement, qui n'est pas nécessairement ma petite personne. Ça soulage de s'en rendre compte. »

EN COUPLE,
JE ME DÉSTRESSE

Mais pourquoi ça tombe sur lui ? Avec les autres (copain, copine, boss, collègue, boulangère...), généralement on arrive à faire des efforts. Mais avec Chéri, non ! À lui : notre mauvaise mine, notre irascibilité, notre susceptibilité, notre stress. Pourtant, ce chéri, on l'a choisi en toute liberté (« À moins que l'amour ne rende vraiment aveugle ? »). Comment se fait-il qu'il soit la source d'autant d'agacements ? Peut-être, précisément, parce qu'avec lui on n'est pas obligée de porter le masque de la civilité 24 heures sur 24. Alors, on se lâche. N'empêche, on pourrait se la jouer plus douce, à deux !

TEST LE COUPLE, ÇA VOUS DÉTEND ?

Sept questions pour faire le tour de la situation et découvrir quel est votre potentiel de relâchement avec votre amoureux.

1. **Scénario cata : dans quinze ans vous serez ?**
   a. En plein remaniement ★
   b. En famille recomposée ◆
   c. Dans deux lits séparés ✣

2. **Chéri part régulièrement en voyage d'affaires :**
   a. Vous retournez chez vos parents (pour le service restauration). ★
   b. Vous l'accompagnez. ✣
   c. Vous explosez vos forfaits téléphone. ◆

3. **Argent. Vous avez des soucis :**
   a. Chéri vous fait des guili-guili. Et c'est reparti ! ◆
   b. Chéri fait vos comptes. Et ça passe ! ★
   c. Chéri vous demande ce que vous comptez faire. Et ça vous énerve ! ✣

4. **Chéri ne retrouve plus la machine à laver le linge. « Elle est où déjà ? »**
   a. Vous lui répondez : « Toujours sur le balcon, comme d'hab' ! » ✣
   b. Vous lui proposez un jeu de piste. ◆
   c. Vous le prenez par la main, il n'a pas le sens de l'orientation. ★

5. **C'est la Saint-Valentin. Vous proposez :**
   a. Rien ! C'est son tour de trouver une idée. ❖
   b. Un bain à deux. ★
   c. Un karaoké (« Qu'avec des chansons d'amour.
      C'est drôle, non ? »). ◆

6. **Vous dînez :**
   a. Avec des potes. Souvent. ◆
   b. En tête-à-tête. Régulièrement. ★
   c. Devant la télé. Parfois. ❖

7. **Ce que vous préférez avec chéri ?**
   a. La réconciliation après une bonne dispute ◆
   b. Quand il vous rassure ❖
   c. Ses mots doux ★

RÉPONSES EN TROIS
PROFILS AMOUREUX...

◈ **Vous avez une majorité de** ◆
La vie à deux, ce serait plutôt pour vous...
Une source d'excitation

C'est dans votre couple que vous rechargez vos batteries. Branchée sur votre chéri, vous êtes prête à partir dans tous les sens. Pour le meilleur : s'amuser, bouger, créer, partager... Et parfois pour le moins bon : s'énerver, s'agacer, s'irriter... Trouver aussi un moyen d'entretenir des relations nettement plus pacifiées serait super pour tenir longtemps, longtemps...

◈ **Vous avez une majorité de** ★
La vie à deux, ce serait plutôt pour vous...
Une source d'apaisement

Le couple, c'est votre air frais, votre espace de tranquillité. Là, vous reprenez appui sur votre chéri pour retrouver calme et sérénité. À condition qu'il veuille bien jouer les pacificateurs. Parce que si chéri dérape, un petit mot de trop, une réflexion agacée, vous voilà alors toute chamboulée. Trouver un moyen de vous détendre quelle que soit son humeur serait super pour vous sentir librement sereine.

Vous avez une majorité de ❖
La vie à deux, ce serait plutôt pour vous...
Une source d'agacement

Vous mettez toute votre attention dans votre couple. Il doit réparer tout ce qui ne fonctionne pas si bien à l'extérieur. Aussi, parfois, chéri vous déçoit-il de ne pas répondre à votre désir profond d'excellence. Moralité ? Vous vous agacez notablement, mutuellement ou en solo. Trouver un moyen de calmer ces pics de tension serait super pour ressentir ce qui vous lie vraiment : l'amour.

JE LÂCHE PRISE

L'exercice n'est pas des plus facile en couple. Trop d'enjeux, trop d'attentes. Du coup, on a du mal à se laisser aller. Pourtant, ce serait bien, ne serait-ce que pour :

* Moins se la jouer.
* Ne plus se prendre la tête.
* Profiter d'une énergie décuplée.
= Et donc apprécier (vraiment) sa vie en duo.

Pour lâcher un peu de lest et ne pas faire de votre vie amoureuse une source de stress supplémentaire, faites un petit bilan rapide de votre situation :

✳ REGARDEZ DANS LE RÉTROVISEUR

Votre enfance, vos relations avec vos parents, vos amis, vos petits amis, qu'est-ce qui se joue, quel regard portez-vous sur eux ?

⋯▷ Qu'est-ce que ça m'apporte ?
Un repérage sur la manière dont vous vous comportez avec vos très proches. Il y a peut-être des schémas relationnels récurrents. Autant les détecter pour mieux les déjouer.

✳ RECONNAISSEZ VOS MANQUES

L'insatisfaction, le stress, l'irritation. Ce sont des manières de répondre à des besoins insatisfaits. Examinez ceux qui ne le sont pas chez vous.

⋯ **Qu'est-ce que ça m'apporte ?**

Plutôt que de se focaliser sur le problème (« Rien ne va chez toi ! »), cela permet de mettre en lumière l'origine du problème (« En fait, j'ai besoin de plus de confiance »).

✳ REPÉREZ VOS POINTS SENSIBLES

Qu'est-ce qui vous fait réagir, bondir, vous énerver, vous agacer ? Il y a des comportements et des mots qui, systématiquement, réveillent votre stress. Quels sont, chez vous, ces mots et ces comportements ?

⋯ **Qu'est-ce que ça m'apporte ?**

Les connaître peut vous permettre de les désamorcer. Et en tout cas de les signaler à votre chéri pour qu'il évite d'appuyer dessus.

✳ MOBILISEZ VOS FORCES

À l'inverse, évaluez ce qui, chez vous, est source d'équilibre. Quel environnement vous est nécessaire pour vous retrouver, vous apaiser ? Sans aller chercher trop loin, repérez ce qui vous rend la vie plus douce au quotidien.

⋯ **Qu'est-ce que ça m'apporte ?**

C'est une manière positive de poser les bases d'une solution harmonieuse.

✳ ALORS J'AGIS ET :

✳ **J'abandonne ma volonté de tout contrôler.**

Chéri peut faire autrement et bien. Laissez-lui la possibilité de vous le prouver.

* **Je m'autorise à m'exprimer.**

Demandez de l'aide, manifestez vos émotions. On a tendance à imaginer que Chéri devine tout. Or il n'en est rien. Chéri est même (fréquemment) assez peu intuitif, allez savoir pourquoi !

* **J'accepte les ratés.**

L'harmonie ne s'installe pas à la première réclamation ? Normal ! Résistez à la tentation de vouloir aller trop vite.

LA ROUTINE,
LA CLÉ DU BONHEUR

En couple, il n'est pas facile d'adopter de nouvelles manières d'être. Même quand on fait des constats communs (« Bouh, on ne se parle même plus ! »), les bonnes résolutions n'y suffisent pas, on le sait bien (qui a réussi à tenir celles du 1er janvier de chaque année ?). En réalité, la meilleure méthode pour installer de nouveaux comportements serait d'instaurer des rituels dans sa vie. Exactement comme on a pris l'habitude de se laver les dents, de se démaquiller ou de grignoter une gaufrette avec sa tisane ! C'est ce que soutiennent certains chercheurs, à l'instar de Tal Ben-Sahar*, philosophe, psychologue et éminent professeur à l'université américaine d'Harvard.

✳ COMMENT ÇA MARCHE

En l'occurrence, il s'agirait de prendre l'habitude de partager un moment de plaisir avec son chéri si on manque de temps à deux. Ou bien de partager une corvée, si on manque d'aide (« Faut pas charrier ! »). Le tout est de le décider, de l'instituer et de le ritualiser dans le temps : une fois par semaine, tel jour, à telle heure, on fait « ça » ! Reste à déterminer ce « ça » qui devrait vous mettre sur le chemin d'une relation plus apaisée. Et il n'y a même pas à craindre l'éventuel pouvoir néfaste de la routine (« Eh oui ! elle est où la spontanéité dans tout ça ? »).

* *L'Apprentissage du bonheur*, éd. Belfond.

Contrairement à ce qu'on pourrait penser, le risque de s'ennuyer n'est pas là.

Prenons un exemple. Pour s'échapper des soucis du quotidien (et retrouver un peu la joie d'être ensemble), on décide de s'accorder une soirée en couple tous les mardis, quoi qu'il arrive. Ça, c'est pour le rituel. Mais rien n'interdit d'improviser tous les mardis soir : une terrasse de café au printemps, un ciné en plein air en été, un concert de jazz en automne... Ça, c'est pour la spontanéité.

⋯⋗ **Dernière recommandation :** n'instituez pas cent cinquante rituels en même temps. Laissez-vous le temps d'en installer bien confortablement un ou deux avant de passer aux suivants.

TÉMOIGNAGES. EN COUPLE :
LEURS PATCHS ANTISTRESS

Elles ont trouvé de bonnes idées pour éviter le stress. Comment font-elles ?

★ Bribri, 27 ans, institutrice. En couple depuis deux ans.

« Je ne garde rien ! Je dis tout, tout de suite. Pas toujours dans les formes, mais au moins je ne marine pas dans ma colère. »

★ Louise, 30 ans, céramiste. En couple depuis huit ans.

« Bon, c'est un peu radical : j'ai une garçonnière ! En fait un atelier, mais je peux y dormir. Et j'en suis ravie. Je reprends souffle. On avait besoin de mettre un peu plus de créativité dans notre couple. De reformuler notre organisation qui nous laissait insatisfaits. C'est fait et ça marche. On est super contents de se retrouver comme au début. »

★ Steph, 28 ans, fleuriste. En couple depuis trois ans.

« Mon truc est méga simple : prendre le temps de sortir tous les deux au resto. À chaque fois, je remarque la même chose. On est fatigués, on est stressés, on s'engueule. Résultat ? J'ai plus envie de faire l'amour. Comme on ne se touche plus, on se déconnecte. Et on s'en veut. On rentre dans un cercle vicieux dont le seul moyen de sortir est de se retrouver en douceur. Je commence par le resto et le reste suit... »

JE RETROUVE LE PLAISIR
D'ÊTRE À DEUX

Quelques astuces pour se détendre à deux et repousser les nuages noirs qui nous frôlent parfois le soir :

✳ INSTAUREZ UN SAS DE DÉCOMPRESSION

En rentrant chez vous, prenez le temps de vous retrouver sans vous enfermer immédiatement dans une activité solo, genre la lecture de vos mails ou le repassage de vos draps.

Passez dix à quinze minutes autour d'une tasse de thé, tous les deux, à vous parler de votre journée, de la bourde de boss GI Joe ou du nouveau fleuriste installé en bas de chez vous... (« Ah, oui ? Je l'avais même pas vu ! »).

✳ ÉNONCEZ VOS PETITS PLAISIRS

Régulièrement, demandez-vous ce que vous avez aimé réaliser à deux. Qu'est-ce que vous avez apprécié de faire ensemble ces derniers temps ? « Formulez », vous puis votre chéri, vos trois bonheurs de la saison. Une manière de revenir sur ce qui vous fait plaisir, de découvrir ce qui remplit de joie l'autre (pas forcément évident) et de se redonner envie de jouir de plein d'autres moments ensemble.

✳ RETROUVEZ DE LA GRATITUDE

Avec le temps, on finit par perdre de vue ce qui nous unissait. Et on se laisse submerger par ce qui nous éloigne. Ne perdez pas ce lien et pensez à remercier votre partenaire pour ce qu'il vous apporte. Parce que si vous êtes avec celui-là et pas un autre, c'est parce qu'il vous donne de l'affection, de la motivation, du plaisir, de la douceur, bref il vous nourrit à sa manière. N'oubliez pas de l'en congratuler. Cela ne va pas de soi. Et ça fait tellement de bien de l'entendre.

✳ LE ZEN DU PARTAGE

Recevoir est un délice. Donner aussi. Retrouvez, et reconnaissez, le plaisir que vous avez à donner à votre chéri tout ce que vous avez. Ce sentiment de partager à deux des soucis comme du plaisir, c'est un bonheur qui vous construit. Votre part de bonheur, vous pouvez l'exprimer dans des gestes aussi simples que de prendre le temps d'offrir à l'autre un massage pour l'extraire de ses tensions. Par exemple...

COMMUNIQUER
SANS VIOLENCE

Voilà l'ultime but à atteindre : se parler avec le cœur (et pas entre les dents). C'est précisément ce que propose le célèbre docteur en psychologie américain Marshall Rosenberg, père de la CNV (« communication non violente »). La méthode fait florès depuis que David Servan-Schreiber en a vanté les mérites dans son livre *Guérir* (éd. Robert Laffont). En quoi consiste-t-elle ? La technique pourrait se décomposer en quatre étapes. Suivez-les :

1. J'observe ce qui se passe sous mes yeux.
Pas de généralisation, regardez vraiment ce que vous vivez dans les faits.

2. J'exprime ce que je ressens devant cette situation.
Pas d'interprétation : ce qu'on croit que l'autre voulait dire ou sous-entendait... Concentrez-vous sur votre propre ressenti.

3. J'énonce mes besoins face à cette situation.
Prenez appui sur vous, vos motivations ou vos frustrations et non sur les torts de l'autre.

4. Je formule une demande précise en réponse à ce que j'observe.
Et plutôt une demande négociable...

En vrai, ça pourrait donner ça : « Chéri, quand je vois ta quatrième paire de chaussettes traîner au pied de notre lit (l'observation), je suis très fâchée (l'expression), parce que j'ai besoin d'ordre (l'énonciation) dans cette chambre que nous partageons. Pourrais-tu, s'il te plaît, les prendre et les déposer dans le panier de linge sale (la demande) ? » Irrésistible, non ? Mieux en tout cas que de découper en confettis les quatre paires de chaussettes et de les glisser dans son agenda pour qu'il comprenne enfin ! (Et encore...)

Simple à première vue, l'exercice nécessite d'être pratiqué, parce qu'on fait très vite le constat qu'en réalité :
* On a du mal à exprimer ce qu'on ressent.
* Encore plus à reconnaître ses besoins.
* Et encore, encore, plus à formuler une demande.

> Mais ceux qui pratiquent
> n'en reviennent pas du résultat.
> Alors, prête ?

✳ **POUR VOUS AIDER**

Une petite liste de besoins (à énoncer sans oublier de ne pas juger) où piocher ceux qui chez vous seraient insatisfaits :

* Besoin de reconnaissance,
* de liberté,
* de sens,
* de participation,
* de considération,
* de paix,
* de partage,
* de sécurité,
* d'ordre,
* d'honnêteté,
* de célébration,
* d'authenticité,
* d'intimité,
* d'indépendance,
* de sincérité,
* de confiance,
* d'estime de soi,
* d'équité,
* d'amour...

À vous de compléter...

* ....

* ....

*   ....
*   ....
*   ....
*   ....
*   ....
*   ....
*   ....
*   ....
*   ....
*   ....
*   ....
*   ....
*   ....
*   ....
*   ....
*   ....
*   ....
*   ....
*   ....
*   ....
*   ....
*   ....

ZEN, AUTOUR DE **moi** ***

Sous les yeux : rien que du zen. Du zen, du zen, du zen, du zzz…

Pas question de négliger son environnement. De la table (« Je le mange ou pas ce troisième baba ? ») au cockpit de l'avion (« J'y monte ? J'y monte pas ? »), tout peut être une source de stress supplémentaire. Alors, comment optimiser son milieu pour appréhender la vie avec sérénité ? Là est la question. On prendra bien un petit verre d'eau pure avant de répondre, non ? Et après, on se jette sur la suite.

À TABLE,
EN TOUTE QUIÉTUDE

Bien manger a une incidence directe sur notre santé. On le sait. Mais également sur notre humeur. Les recherches scientifiques permettent de faire le lien entre le contenu de notre assiette et la bonne marche de notre cerveau. De la manière de l'alimenter dépendent sa régulation, sa croissance et son équilibre. Nous savons aujourd'hui que certains nutriments agissent sur l'état de notre moral, comme les célèbres oméga 3. Nous faisons aussi quotidiennement et empiriquement l'expérience du plaisir, générateur de bonne humeur, en dégustant un bon plat. Reste donc à déterminer ce qui est bon sous nos papilles « et » pour notre moral. « L'huile de foie de morue, non ? » C'est juste...

TEST ÊTES-VOUS BIEN DANS VOTRE ASSIETTE ?

Dix questions pour faire le tour de vos comportements en matière alimentaire. Allez, zou ! c'est parti.

1. Gros coup de Calgon :
   a. Vous entamez une diète. Tant qu'à souffrir... ★
   b. Un gueuleton, c'est salvateur, non ? ❖
   c. SOS psy + la boulangerie (« Avant et après la séance, faut au moins ça... »). ◆

2. Ce que vous aimez dans le saumon :
   a. Sa couleur ! ◆
   b. Ses oméga 3 ★
   c. Son bon gras. Mais vous avez aussi entendu parler d'une sombre histoire de PCB... ❖

3. Votre plateau TV :
   a. Assiette, couverts, carafe d'eau, salière, poivrière, et ce qui va avec... ❖
   b. C'est simple : tout tient entre deux tranches de pain ◆
   c. Un assortiment de crudités ★

4. Votre film préféré :
b. *Le Festin de Babette* ♦
b. *La Grande Bouffe* ❖
c. *Ratatouille* ★

5. « Allô, Speedy-mets ? » Vous choisissez :
a. Le couscous express ♦
b. Les sushis chauds ★
c. La diet pizza ❖

6. Au menu de votre dîner d'anniversaire :
a. C'est la fête ! Sodas light à volonté. ❖
b. Champ' à flots, non ? Ça s'impose ! ♦
c. Bonne résolution : eau enrichie en oxygène. ★

7. Pour que ça reparte, il vous faut :
a. Un radis à croquer ★
b. Un chocolat (« ... voire sa tablette ») ♦
c. Un radis et aussi un chocolat (« Ben oui, quoi ? ») ❖

8. Si vous deviez choisir, vous seriez plutôt :
a. Tout bio ★
b. Tout *light* ♦
c. Tout traiteur ❖

9. Les radicaux libres sont des antioxydants...
  a. Peut-être ♣
  b. Bien sûr ♦
  c. Pas du tout ★

10. Pas un repas sans :
  a. Un petit café ♦
  b. Une sucrerie allégée ♣
  c. Un complément en comprimé ★

LES RÉSULTATS TOUT FRAIS

···✦ **Vous avez une majorité de** ✦
Votre assiette vous préoccupe.

Elle vous tiraille, elle vous titille, vous ne savez plus très bien de quoi elle doit être faite. Vous vous doutez bien que le secret de la forme réside peut-être dans vos tomates-mozza. Mais vous n'en êtes plus tout à fait certaine (« Ces poireaux pâlichons, ils ne seraient pas en manque de caroténoïdes ? »).

= Vous auriez besoin d'une petite remise au point.

···✦ **Vous avez une majorité de** ★
Votre assiette vous obnubile.

Plutôt calée, en tout cas terriblement concernée, votre assiette finit par vous peser. À force d'éliminer les huiles hydrogénées, le sucre trop raffiné, le beurre corrosif pour les artères, les gâteaux terriblement glucidiques, certains soirs vous vous demandez ce que vous pourriez bien manger. Quelque chose qui vous ferait plaisir ?

= Vous auriez besoin de vous décontracter un peu.

···✦ **Vous avez une majorité de** ◆
Votre assiette vous hypnotise.

Cette assiette, vous l'adorez ! Elle vous rassure, vous soulage, vous console et même vous redonne courage. Alors, qu'est-ce qui ne va pas ? Eh bien, parfois vous avez l'impression qu'elle vous mène par le bout du nez. Tout ne se résout pas auprès d'elle. D'autant que question équilibre, vous n'êtes pas certaine qu'elle soit tip top.

= Vous auriez besoin de maîtriser un peu mieux son contenu.

ZEN AVEC
VOTRE **ASSIETTE**

Personne n'est dupe, manger ne se résume pas à un acte tout simple de survie élémentaire. Notre organisme a besoin de nourriture pour que sa mécanique fonctionne. Certes ! Mais il se charge également de nous réclamer des substances (généralement hallucinantes) pour adoucir une blessure d'amour-propre (« Et une tablette de chocolat, une ! »), combler un vide affectif (« La religieuse à la rose, c'est super pour ça ») comme un agacement passager (« Allez, tout plein de petits Lu ! »). De la même manière, il peut nous arriver de refuser de manger parce que nous sommes arrivées à satiété (« Merci, plus rien après cette potée berrichonne »). Mais aussi parce que face à trop de soucis, il est courant de ne plus pouvoir « rien avaler ». Au sens figuré comme au sens propre.

Les aléas de l'existence nous contraignent à rechercher constamment les bonnes proportions entre notre besoin physiologique de manger, notre plaisir à manger et notre faim affective, celle qui répond à notre cerveau plus qu'à notre ventre. Une source de stress non négligeable.

Si vous vous sentez perdue au milieu du chemin entre des envies parfois contradictoires, récitez donc ces **trois mantras pour retrouver une assiette zen :**

* UN REPAS,
C'EST UNE PAUSE

N'oubliez pas que c'est un moment de détente. Sachez en profiter plutôt que de vous prendre la tête avec une litanie de questions sur le sujet : que manger ; faut-il manger ; manger, est-ce vraiment raisonnable ? (On vous laisse compléter la liste.) Et offrez à votre repas au minimum vingt minutes. Plus vous serez pressée, plus vous mangerez sans rien apprécier.

 Le secret pour prendre son temps ? Mas-ti-quer !

* UN REPAS,
C'EST UN RITUEL

Plus vous l'installerez dans le temps, à heure fixe, pour une vraie pause, avec un authentique contenu, mieux vous en contrôlerez ses soubresauts. Concentrez-vous sur ce que vous dégustez, prenez le temps d'apprécier les saveurs, simplifiez les mets qui se retrouvent dans votre assiette pour en savourer les subtilités. Une excellente manière de renouer avec le bonheur de manger sans être envahie par trop d'affects.

Le secret du plaisir à table ?
De petites bouchées, de toutes petites bouchées
(doucement quand même, ne vous lancez pas
non plus dans un repas de miettes).

✳ UN REPAS, C'EST UN ÉQUILIBRE

De la modération en toutes choses et en particulier avec la nourriture. Méfiez-vous des régimes. Ils laissent plus d'insatisfactions sur la balance que de kilogrammes. Méfiez-vous aussi de la religieuse à la rose. Elle n'adoucit pas forcément la vie. Le secret d'une assiette équilibrée ? Viande maigre, œuf ou poisson gras, légumes et céréales, fruits et oléagineux (noix et compagnie), huile d'olive ou de colza. Après, il n'y a plus qu'à varier les plaisirs autour de cette liste.

Vous avez gravement fauté, une méga choucroute et un millefeuille pistache/choco sont venus se glisser dans votre liste ? Tant pis. Rien n'interdit une envolée calorique du moment qu'elle ne s'impose pas à vous mais que vous la décidez.

Le secret de la déculpabilisation ?
Demain est un autre jour. En revanche,
il est essentiel de bien profiter d'aujourd'hui.

DÉCRYPTEZ
VOTRE ASSIETTE

Choisir une alimentation qui ne serait pas équilibrée fait prendre le risque de grossir gravement (cela va sans dire), mais aussi d'abîmer son cœur, d'amoindrir ses performances intellectuelles, d'accélérer ses sautes d'humeur et son vieillissement. Que des inconvénients quand on veut faire revenir la zénitude dans sa vie !

La nourriture équilibrée de la parfaite déstressée fait la part belle aux micronutriments (les vitamines et les oligo-éléments dont nous manquons) et permet (un peu) de faire chuter le nombre de calories absorbées au quotidien. Comment ?

À SUIVRE
LES CINQ PRÉCEPTES INDISPENSABLES
✳ CHASSEZ LES GRAISSES CACHÉES

Il y a les graisses indissociables des aliments (œufs, viandes...), celles nécessaires à leur préparation (huiles en tous genres, crèmes, beurre...) et celles qui se planquent dans les plats tout prêts, les pâtisseries et les biscuits. On pense à limiter les graisses visibles (comme le beurre) ; pourtant, une solution – complémentaire – consisterait à diminuer la quantité des aliments industriels toujours trop riches en gras et en sel.

✳ CHOISISSEZ VOTRE SUCRE

Les fluctuations glycémiques agissent sur notre humeur. Préférez des sucres lents (comme les pâtes), qui pénètrent doucement dans l'organisme et sont nécessaires à la bonne forme du cerveau. Limitez les sucres rapides néfastes : après l'impression de bien-être s'ensuit une sensation de manque stressante pour l'organisme. Substituez au sucre raffiné du miel ou du sirop d'agave (une sorte de sirop de cactus, mais bon !), à l'indice glycémique plus faible (en vente dans les magasins bio).

✳ ADOPTEZ LES LÉGUMINEUSES

Elles offrent un excellent rapport qualité/prix antistress par leur richesse en magnésium et en vitamine B (les deux forment une jolie paire pour faire revenir la zénitude). Pourtant, on les oublie trop souvent. Nourrissez-vous de lentilles, soja, fèves ou pois. Mieux encore, adoptez-les en graines germées, elles seront moins dénaturées que cuites, et rapides à préparer.

✳ CROQUEZ LES OMÉGA 3

Ils sont essentiels à la régulation de notre humeur, or nous n'en consommons plus assez. Notre alimentation moderne laisse la part belle aux oméga 6 (essentiellement dans les huiles, comme celle de tournesol), également indispensables à notre cerveau à la condition qu'ils soient équilibrés par... les oméga 3. On en trouvera dans les poissons gras (maquereau, sardine, hareng, saumon...), les oléagineux (noix, noisettes...) ou le pourpier. Entre autres.

✳ OPTEZ POUR LES ANTIOXYDANTS

Ils permettent de réparer les méfaits des radicaux libres sur notre organisme qui fragilisent nos cellules, vieillissent notre peau et nos neurones. C'est le cas des aliments riches en vitamines A, C et E ainsi qu'en sélénium et en zinc. Le palmarès gagnant dans votre assiette : au rayon fruits, tous ceux qui sont rouges (fraises, framboises, mûres, myrtilles, pruneaux...) ; au rayon légumes, les petits verts sont forts (artichauts, brocolis, asperges...) ; dans la catégorie légumineuses extra riches, on trouve les haricots rouges (champions toutes catégories, d'ailleurs) ; pour les oléagineux, les amandes sont très bien et pour les épices, origan et cannelle sont extra.

Y AVEZ-VOUS PENSÉ ?

Ils sont riches, très riches, ne les oubliez pas dans votre alimentation :

* Le thé (noir et vert) est un puissant antioxydant et un stimulant doux (contrairement au café). Plus il est infusé, moins il est excitant.

* Le curcuma. Excellent anti-inflammatoire, c'est aussi un antioxdant. Il aurait un rôle protecteur contre le déclin mental et la maladie d'Alzheimer.

* L'orge. Elle est fortifiante et régénératrice. Et elle a un fort pouvoir antioxydant et préserve nos neurones.

LES ALIMENTS
QUI RÉPARENT

À prendre en cas :

✳ DE SURMENAGE INATTENDU

Vous devez être partout : bureau, maison, famille, amis, tous vous réclament. Et à 100 %. Votre assiette peut vous aider.

···▷ **Le germe de blé** est un excellent compagnon. Très complet, on y trouve une mine de nutriments (magnésium, vitamines B et E...), il a un rôle indéniable sur le système nerveux qu'il apaise.
À consommer en poudre et à parsemer un peu partout, de la salade au yaourt.

✳ DE DÉPRIME PASSAGÈRE

Pas rose la vie en ce moment ? Sans parler de dépression au sens clinique du terme, vous sentez bien que votre regard n'arrange pas les choses. Levez ce voile noir d'un complément alimentaire.

···▷ **La levure de bière** (à ne pas confondre avec celle du boulanger, qui ferait plutôt gonfler...) est un concentré de vie, riche en acides aminés, en oligo-éléments, en protéines et en vitamine B, elle est une actrice très douée pour lutter contre les petites déprimes.
À consommer en gélules ou en comprimés.

✳ DE FATIGUE MOMENTANÉE

Gros coup de pompe. Vous avez l'impression de ne pas pouvoir vous concentrer ni vous mobiliser. Remontez votre potentiel vitalité.

⋯⟩ **Invitez la spiruline à votre table.** Cette algue bleue est riche en protéines, en fer, en béta-carotène et en vitamine B. On la pare de toutes les vertus et notamment celle de vous regonfler en énergie (un indice : les sportifs en consomment pour booster leur forme).
À consommer additionnée à de l'eau ou des aliments, ou encore en gélules.

✳ DE SOMMEIL ABSENT

Trop d'énervement, trop de sollicitations ! La nuit venue, impossible de trouver un sommeil apaisant quand il n'est pas carrément absent. Adoptez un grand classique.

⋯⟩ **Un verre de lait chaud et une cuillerée de miel,** c'est le cocktail douceur à s'offrir. Pas uniquement parce qu'il a l'allure d'un bon vieux remède de grand-mère, mais aussi parce que cette association fonctionne parfaitement bien d'un point de vue nutritionnel. Le lait, riche en acides aminés, stimule les facteurs régulateurs du sommeil. Associé aux vertus sédatives du miel, le compte est bon.
À consommer en version lait écrémé plutôt que lait entier, pour plus de légèreté.

Intérieurement, vous bouillez, extérieurement aussi. Vous voyez tout en noir et la vie, les gens, les choses, vous agacent. Bref ça ne va pas. La solution ? Une petite infusion.

⋯⟶ **Le millepertuis** est une jolie plante à la réputation inégalée. Les anciens l'utilisaient pour se soigner de presque tout, alors que les contemporains reconnaissent ses vertus antidépressives et calmantes.

À consommer en tisane ou en gélules, mais alors **avec un avis médical** (on ne rigole pas avec le millepertuis sous forme de cachets : on doit se méfier notamment des interactions médicamenteuses).

RECETTES
EN FORME

Quatre recettes qui boostent, à cuisiner en un rien de temps :

* UN VELOUTÉ DE CAROTTES AU CURCUMA
POUR SOURIRE DE LA VIE

Coupez en rondelles 4 carottes.

Salez légèrement.

Faites-les cuire à la vapeur (20 min).

Mixez-les.

Ajoutez l'eau de cuisson récupérée dans votre cuit-vapeur riche en nutriments (l'équivalent de 50 cl d'eau chaude ou de bouillon de légumes si vous n'avez pas de cuit-vapeur).

Chauffez 2 cuillerées à soupe de soja cuisine mélangées avec 1 cuillerée à café de curcuma et un tour de moulin à poivre.

Mélangez le tout.

···› **Le +**

Carottes, curcuma et poivre, aliments énergétiques, s'associent pour vous apporter une pointe de tonus.

✳ UNE SALADE DE SOJA AU SAUMON FUMÉ
POUR CROQUER LA VIE

Coupez en lanières une tranche de saumon fumé (bio de préférence).

Mélangez 100 g de pousses de soja (haricots mungo) et les lanières de saumon fumé.

Assaisonnez avec 1 cuillerée à soupe d'huile de sésame, 2 cuillerées à café de vinaigre de riz et 1 cuillerée à café de sauce soja (en vente dans les épiceries spécialisées).

Parsemez votre salade de sésame grillé à sec et de quelques feuilles de coriandre ciselées.

····⋗ **Le +**

Le mariage dynamique de la fraîcheur et du croquant des pousses de soja à la douceur du saumon fumé, riche en oméga 3 et au fort pouvoir énergétique. Auquel il convient d'ajouter les vertus du sésame, plein d'acides gras, bons pour les neurones.

✳ UN POULET AU CITRON ET AUX GRAINES
POUR ÉPICER LA VIE

Coupez un blanc de poulet en lanières.

Faites-le revenir dans une poêle avec une pointe de cumin.

Quand il est presque cuit, ajoutez 1 cuillerée à café de citron confit au gingembre (en vente dans les épiceries fines) ou, si vous n'en trouvez pas, d'un demi-citron confit additionné d'une pointe de gingembre en poudre.

Ajoutez le jus d'un demi-citron.

Salez et poivrez avant de servir accompagné d'une graine de votre choix : quinoa, boulgour, orge, épeautre... (de préférence bio, les pesticides se fixant prioritairement sur l'enveloppe extérieure des céréales).

···▷ **Le +**

Cumin, citron confit, gingembre réveillent les papilles. Les céréales complètes, riches en magnésium, en fer, en vitamines B et E, apportent l'énergie dont vous avez besoin pour tenir toute la journée.

✳ UN FROMAGE BLANC AUX NOISETTES GRILLÉES
POUR ADOUCIR LA VIE

Concassez quelques noisettes.

Faites-les griller quelques minutes dans une poêle avec une pointe de sucre.

Parsemez ce mélange sur une verrine remplie de fromage blanc.

···▷ **Le +**

Le mélange croquant des fruits oléagineux gorgés de bienfaits donne le petit coup de pousse d'énergie qui peut manquer. Le sucre qui enrobe les noisettes suffit à adoucir le fromage blanc.

À LA MAISON,
ZEN FORCÉMENT

La maison mérite autant de soin que notre petit
« moi, moi ». Elle est notre refuge, notre enveloppe, notre bulle de liberté et de douceur. On
optimise ce cocon : nettoyage, rangements,
chasse aux champs magnétiques, on se débar-
rasse de l'encombrant. Et on se répète en boucle :
Qui allège sa maison, allège son esprit.

ZEN DE **FENG SHUI**

Un lieu peut influencer notre état, aussi bien physique que moral. Et ce lieu est lui-même nourri de l'influence des matières, des formes et des éléments qui le composent. Le feng shui, cette discipline millénaire chinoise, vise à pacifier habitat et habitants en harmonisant le flux du qi (de l'énergie) qui circule dans un intérieur. Il nous apprend à équilibrer le feng (le vent qui disperse notre énergie) et le shui (l'eau qui retient et concentre notre énergie). La discipline, pour être appliquée efficacement, nécessite un véritable apprentissage. En attendant, on vous donne quelques clés pour vite réaménager votre intérieur en plus zen.

✳ ÊTES-VOUS AU COMPLET ?

Pas d'harmonie sans que soient réunis les cinq éléments vitaux dans votre maison. Vérifiez qu'ils sont bien présents chez vous :

* **Le métal :** une lampe en acier, une coupe en argent...

* **L'eau :** une fontaine (chez vous ou à proximité immédiate), un aquarium...

* **Le bois :** une table en chêne, un panier en osier, un arbuste...

* **La terre :** un vase ou un plat en porcelaine, des cristaux...

* **Le feu :** une bougie, une cheminée...

DE QUEL KUA
ÊTES-VOUS FAITE ?

Aux éléments vitaux (bois, métal...) correspondent des couleurs, des formes, des directions et un nombre, le kua, attribué à chacun d'entre nous en fonction de notre année de naissance (pour le calculer, lire p.190). Selon votre kua, vous seriez plutôt :

···> Votre kua est 1
Vous êtes eau, hiver, noire et bleue et vous avez tendance à naviguer partout avec aisance mais à vous laisser aller à des pointes de pessimisme.

···> Votre kua est 2
Vous êtes terre, début de l'automne, jaune et ocre, persévérante, douce et aimable.

···> Votre kua est 3
Vous êtes bois, printemps, vert foncé, indépendante et combative, un tantinet agressive.

···> Votre kua est 4
Vous êtes bois, printemps, vert clair, respectueuse de la loi et des ordres, mais parfois vous doutez.

⸱⸱⸱▷ **Votre kua est 6**
Vous êtes métal, automne, blanche et métallisée, ambitieuse et charitable.

⸱⸱⸱▷ **Votre kua est 7**
Vous êtes métal, automne, blanche et dorée, sensible, vous désirez plaire.

⸱⸱⸱▷ **Votre kua est 8**
Vous êtes terre, fin de l'hiver, jaune et beige, honnête, volontaire et calme.

⸱⸱⸱▷ **Votre kua est 9**
Vous êtes feu, été, rouge, orange, jaune vif, esthète, parfois un peu matérialiste.

Ces informations sont prises en compte par les maîtres feng shui pour déterminer ensuite la meilleure disposition intérieure pour vivre sereinement. Prenez les conseils d'Hélène Weber, maître en la matière, sur son site* www.fengshui-village.com. Elle vous suggère, en fonction de votre kua, quelles sont vos bonnes orientations, comme celles à éviter. À consulter, pour se réaménager.

CALCULEZ
VOTRE KUA

Puisque vous êtes de sexe féminin, ajoutez les deux derniers chiffres de votre année de naissance. Si le résultat comprend deux chiffres, additionnez-les à nouveau. Puis ajoutez à ce résultat le chiffre 5. Le chiffre est supérieur à 9 ? Réduisez-le à nouveau comme précédemment.

Par exemple :

Vous êtes née en 1983 : 8 + 3 = 11

1 + 1 = 2

2 + 5 = 7, voilà votre kua !

Attention, le kua 5 n'existe pas, remplacez-le par le 8.

Née entre le 1er janvier et le 3 février ? Prenez comme année de référence la précédente.

= Encore plus facile : sur le site des « Encens du monde » (www.encens-dumonde.com), il suffit de donner votre année de naissance et le calcul se fait automatiquement.

LES BONNES LEÇONS
DU **FENG SHUI**

❋ La sérénité dans chaque pièce,
c'est possible !

Pièce par pièce, que fait-on pour retrouver calme, luxe et zénitude ?
Suivez le guide :

❋ DANS L'ENTRÉE

Vous y circulez (point obligé de vos allers et venues), vous y accueillez vos proches, des invités, bref tout le monde l'emprunte forcément. Alors, faites-en un lieu lumineux et clair (à votre image).

+ **Le détail à soigner :** elle est petite ? Agrandissez-la par l'effet d'un miroir, à condition qu'il ne soit pas placé face à la porte (le qi s'enfuirait).

❋ DANS LE SALON

Face publique de votre vie (lieu de réunions ou de réceptions), il ne doit pas pour autant manquer d'intimité. Alors, jouez la rondeur du mobilier et placez les fauteuils autour d'un centre pour inviter à la conversation. Et ne l'encombrez pas de meubles du passé (chargés de trop d'histoires pas toujours positives).

+ **Le détail à soigner :** adoucissez les ondes émises par votre télévision en plaçant une plante verte à ses côtés.

✳ DANS LA CUISINE

Et pour que la cuisinière s'y sente bien, l'idéal serait que le plan de travail ne tourne pas le dos à la porte (histoire de se sentir en sécurité). Pas toujours possible. Alors optimisez au mieux son organisation pour ne pas perdre votre énergie en pas inutiles.

+ **Le détail à soigner :** un plan de travail bien net et surtout peu encombré pour que le qi ne bute pas sur des centrifugeuses, des robots, des louches et des milliers de petits pots.

✳ DANS LA CHAMBRE

Lieu de repos et lieu d'amour, faites de cette pièce un lieu d'harmonie : à bas le désordre et vive la douceur (un plaid en mohair ou en laine polaire, des lumières douces grâce à un variateur, des couleurs claires et rien de relatif au travail, enfin quand c'est possible !).

+ **Le détail à soigner :** le lit, loin des influences de la porte et de la fenêtre, contre un mur, ce serait l'idéal pour la circulation du qi. À éviter : quand les pieds font face à la porte, c'est le meilleur moyen pour se vider de son énergie (bête, non ?).

DANS LA SALLE DE BAINS

En matière de décoration, le feng shui vous laisse libre (trop cool) si tant est que vos options ne nuisent pas à la relaxation généralement recherchée dans cette pièce de la maison. En revanche, un seul mot d'ordre à respecter : une bonne aération (pour que l'humidité n'étouffe pas le qi).

+ **Le détail à soigner :** pensez à maintenir le couvercle des toilettes fermé, sinon le qi y disparaîtrait.

DÉPOUSSIÉREZ !

En feng shui, le bonheur se nourrit de douceur, de lumière et... de propreté ! Pas d'énergie nouvelle sans passer par l'étape grand ménage (et pas qu'au printemps). Pour être parfaitement feng shui, on doit nettoyer son intérieur. À bas la poussière et particulièrement celle des recoins, comme celle qui se cache sous les meubles, sur les bibelots ou sous le grille-pain. On bat les tapis, on secoue les coussins, on remue les rideaux. Et on range. On trie ce qu'il faut garder (papiers, livres, images...), on jette ce qui ne sert plus à rien (vieux journaux, enveloppes décachetées, objets qui ne fonctionnent plus ou mal...) et on donne ce qui s'avère inutile (bibelots, magazines, vêtements...).
On se sent mieux déjà rien que de le lire...

RÉAMÉNAGEZ VOTRE ESPACE
EN FONCTION DE VOS PRIORITÉS

La disposition des meubles influence directement notre façon d'être. Ce qu'il convient de prendre en compte avant de pousser ses meubles (dans la mesure du possible) :

⋯⋙ Vous travaillez à la maison ?

Éliminez les objets bancals, symboles d'instabilité. Évitez les horloges qui vous rappelleraient que vous n'avez pas le temps de tout faire et installez votre fauteuil dos au mur et face à la porte : de là vous vous sentirez en sécurité, jamais prise au dépourvu.

⋯⋙ Vous devez jouer de votre créativité ?

Éloignez la télé, les représentations de natures mortes et les armes ! Entourez-vous de vos images préférées : photos d'enfant, reproductions d'œuvres d'art, affiches, n'hésitez pas à créer votre petit musée perso. Il facilitera la prospérité des idées. Sans oublier d'ajouter des notes de métal (favorables à leur développement), posez vos images dans des cadres de laiton, d'argent ou d'inox, par exemple.

⋯⋙ Vous avez besoin de vous cultiver ou d'apprendre ?

Misez sur une pièce où le silence pourra régner, où les livres seront présents ; entourez-vous de couleurs douces mais un peu sourdes, et de représentations de ceux que vous admirez.

⋯⋙ Vous avez envie de plus de reconnaissance ?

L'estime que vous vous portez a besoin d'être renforcée ? Optez pour une douce bougie, un lampadaire efficace, un peu de rouge et d'or (symboles de la notoriété), qui devraient vous aider. Une bonne lumière « sur » vous et vous y verrez mieux « en » vous.

⋯⋙ Vous rêvez de prospérité ?

La vôtre et celle de votre porte-monnaie ? Des éléments symboliques de la richesse peuvent nourrir votre désir : un point d'eau comme un aquarium ou, à défaut, la couleur bleue, des plantes sans épines ni ronces, une boîte à bijoux, des étoffes luxueuses feront l'affaire.

⋯⋙ Vous souhaitez soigner vos relations amoureuses ?

Vous désirez qu'on s'épanouisse auprès de vous ? Misez sur le rouge, l'orange, l'ocre, le jaune, autant de couleurs chaudes pour faire de votre intérieur un lieu accueillant et réconfortant. Multipliez les objets qui vont par paire : deux chandeliers, deux tables de chevet...

⋯⋙ Votre famille vous importe-t-elle ?

Vous souhaitez qu'elle vive heureuse chez vous ? Alors, bannissez le désordre, optez pour des éclairages doux mais francs, camouflez les angles saillants (avec une jolie plante ?) et n'oubliez pas de disposer quelques photos de votre bonheur familial.

⋯⋙ Vos amis vous soucient-ils ?

Sachez que le cristal, les pierres semi-précieuses et autres minéraux symbolisent votre générosité. Pour signifier vos capacités d'écoute, de disponibilité et de soutien, sortez vos verres en baccarat et vos diamants (avec un petit cristal d'Arques vintage et une mini aigue-marine, ça marche aussi).

⋯⟩ Vous recherchez l'équilibre ?
Le désordre ne peut qu'embrouiller votre esprit. Aérez votre espace, désencombrez-le, allégez-le.

ÊTES-VOUS
YIN OU YANG ?

En nous, et chez nous, se disputent deux forces opposées : le féminin yin et le masculin yang dont on doit en permanence chercher à équilibrer les puissances. Le feng shui, comme nombre d'autres disciplines de la médecine chinoise, se préoccupe de cette division pour rétablir l'harmonie qui manquerait dans une maison ou chez ses habitants.

···> **Le yang,** c'est la lumière, le jour, le soleil, l'été, la chaleur, la vie...

···> **Le yin,** c'est l'obscurité, la nuit, l'ombre, la lune, l'eau, l'hiver, le froid, la mort...

Tout les oppose, mais l'un ne se conçoit pas sans l'autre. Pour vivre en harmonie dans sa maison et laisser le qi circuler librement, on doit veiller à ne pas laisser s'installer le yin au détriment du yang et inversement.

Un exemple ?
Vous avez affiché une carte postale représentant un chien sur votre réfrigérateur ? Affichez une carte postale avec un chat !

ET SI VOUS ÉTIEZ
« SLOW DESIGN » ?

C'est un nouveau courant de pensée dédié à notre manière « d'habiter ». L'idée ? Envisager les objets éco-conçus, comme un facteur de ralentissement pour ne plus user les ressources de ceux qui les produisent ni celles de ceux qui les utilisent. En un mot, remettre un peu d'humanité dans notre manière de vivre, en général, et de consommer, en particulier.

Le slow design prend en compte l'homme avant son argent, produit du bien-être, invite à la méditation et démocratise la conception du design.

Si l'envie vous prend de vous meubler en « slow design » pour apaiser les tensions intérieures, respecter la nature et enrichir la planète, lisez *The Eco-Design Handbook* (éd. Thames and Hudson), le livre manifeste d'Alastair Fuad-Luke, ou bien allez directement sur son site : www.slowdesign.org.

···⟩ **En pratique :**

* Privilégiez les objets qui ont une histoire et une utilité, fabriqués localement dans des matières naturelles ou avec des matériaux de récupération, conçus en respectant les hommes qui les fabriquent.

* Choisissez des pièces uniques, des créations pleines d'humour, à valeur éducative ou pour faire rêver, et toujours réalisées en toute simplicité.

EN VACANCES,
JE ME RELAXE

Il vous arrive de sortir de chez vous ? Bien !
Et même de partir en vacances pour vous reposer
et retrouver un peu de la zénitude perdue pendant
l'année ? Super ! Alors, évitez de commencer par
une petite maladie de décompression (le bon
rhume des vacances d'hiver ou le lumbago de celles
d'été), de vous agacer en voiture à propos des
incompétences respectives des vacanciers en
matière d'orientation et de vous fâcher à l'aéroport
au sujet des bagages oubliés... On vous dit tout
pour rester zen, même en vacances !

... je n'vais pas mourir je n'vais pas mourir je n'vais pas mourir je n'vais pas...
VALIUM

AVANT DE PARTIR

L'idéal serait d'avancer un peu sa date de départ en vacances et de se mettre dans les conditions d'une plus grande relaxation 48 heures avant l'heure officielle. Bon, cela ressemble à de la science-fiction, parce que c'est précisément dans ces 48 heures qu'il convient de mettre le turbo : retrouver le passeport qui se cache, acheter le maillot qui fera un effet liftant sur les hanches, boucler les dossiers chauds du bureau et imprimer le formulaire E123WXZ pour passer la douane en toute tranquillité. C'est donc précisément lors de ces dernières 48 heures qu'on perd tout semblant de zénitude.

À voir, tout de même...

···❖ **Freinez !**

La journée ne passera pas à 25 heures. Et peut-être devrez-vous procéder à des choix.

Comment ? Faites une liste de tout ce qu'il vous reste à réaliser et affectez-lui des priorités (comme au bureau) : en un, ce qui est urgent et important (pas de départ sans ça) ; en deux, ce qui est important (des vacances ratées sinon...) ; en trois, ce qui est urgent (le maillot de l'année dernière lifte peut-être toujours les hanches, donc pas besoin d'en changer ?).

⋯▸ Faites-vous aider.

Vous auriez pu faire Wonder Woman dans une autre vie, mais force est de constater que même elle, à la veille des vacances, aurait besoin de quelques amazones pour l'assister. À défaut de telles assistantes, sollicitez votre chéri, votre maman, votre cousine, la gardienne de l'immeuble, tous ceux qui vous apprécient et qui seront ravis d'accomplir une petite tâche pour vous simplifier la vie. Pas de honte à ça !

⋯▸ Visualisez.

Entre deux stress, faites des pauses mentales. Adoptez les méthodes de visualisation relaxante développées dans les thérapies comportementales.

* Choisissez un lieu que vous appréciez particulièrement (la maison de vos vacances, un paysage toscan que vous connaissez bien...).
* Fermez les yeux et reproduisez mentalement son image globale et fixe.
* Laissez-la s'installer dans votre esprit. Ses contours deviennent de plus en plus nets.
* **La sensation de relaxation s'installe.**

Vous pouvez procéder de même avec une image en mouvement, agréable et douce à vos yeux, comme les vagues sur une plage, le vent sur les feuilles d'un palmier... Suivez intérieurement ces mouvements. Votre respiration se calme. Vous venez de prendre un temps de détente précieux.

⋯▸ Branchez-vous.

Précisément sur votre enfant intérieur. Retrouvez les sensations de joie à la veille d'un départ pour ne pas oublier que cette suractivité a une finalité heureuse.

LES TRUCS « DÉTENTE »
EN VOITURE

C'est parti ! Les maillots sont emballés, les après-ski calés, le piolet rangé ! Vous voilà à bord de votre véhicule : une voiture, en partance pour votre destination préférée. Et là, vous sentez comme une vague de stress vous accabler dans ce bouchon qui dure, qui dure, qui dure... À moins que ce ne soit parce que vous ne trouvez pas votre chemin après avoir emprunté quinze ronds-points différents dont aucun ne mentionne votre objectif final ?

Pour éviter une montée d'adrénaline néfaste, suivez ces quelques conseils :

* Partez légère (petit déjeuner discret ou repas light).
* Ajustez votre position au volant : bras légèrement fléchis, dos bien calé, mâchoire desserrée (à vérifier régulièrement) et épaules souples (à vérifier aussi régulièrement au cours du trajet).
* Faites une pause toutes les deux heures. Profitez-en pour vous détendre et retrouver le plaisir d'une position verticale : sautillez, respirez et...

✳ DEBOUT, ÉTIREZ VOS MUSCLES

···⟩ **Commencez par le dos qui supporte l'essentiel de vos tensions.**
* Droite, les bras remontent vers le ciel, les mains se joignent, paumes ouvertes vers le haut.
* Étirez votre dos, faites de même sur les côtés.

* Vous pouvez même enlacer un arbre, vos fesses poussant vers l'extérieur. Étirez votre dos en rondeur. L'idée étant de lui redonner de la souplesse dans tous les sens.

···❯ **Délassez vos jambes raidies.**
* Droite, remontez vos genoux l'un après l'autre le plus haut possible près de votre corps (comme si votre menton devait toucher chacun d'entre eux) ou bien prenez appui sur le pare-choc si cela vous est plus facile. Maintenez quelques secondes cette position.
* Faites de même avec l'autre jambe.

···❯ **Pensez à vos poignets, très sollicités également.**
* Bras tendus à l'horizontale, « cassez-les » vers l'extérieur en poussant vos bras vers l'avant. Recommencez deux ou trois fois ce geste.

De retour dans votre véhicule et avant de redémarrer :

✳ ASSISE, PRATIQUEZ UN AUTOMASSAGE RAPIDE DES ÉPAULES

* Posez votre main gauche sur votre épaule droite.
* Procédez par petits mouvements de pression des doigts de la base de la nuque jusqu'au haut du bras et faites le tour des omoplates.
* Recommencez de l'autre côté.

LES TRUCS
« ANTIPANIQUE » EN AVION

Finalement, c'est en avion
que vous partez ? Fort bien !
Mais vous détestez ? Aïe !

De la phobie radicale au léger stress avant de monter, en décollant, en atterrissant et même entre les deux, nombreux sont ceux qui n'aiment pas l'avion et qui réfléchissent à deux fois avant de choisir un trajet aérien. Mais rejoindre Phuket sans le moindre aéroplane, c'est long. Trop long. Alors, on tente de se détendre avant de prendre sa place.

⋯⟩ Vous avez beaucoup de temps devant vous ?
Les thérapies comportementales et cognitives (TCC) offrent de bons résultats pour ceux qui détestent, mais alors détestent vraiment prendre l'avion. Le but premier n'est pas d'aller rechercher les causes de cette phobie, mais d'en désamorcer les manifestations les plus visibles (les causes ne seront abordées qu'ensuite). Plusieurs séances sont tout de même nécessaires avant de rêver d'être hôtesse de l'air.

⋯⟩ Vous avez un peu de temps devant vous ?
Et ce qui vous effraie le plus, c'est l'idée qu'en cas de pépin, dans un avion, on ne puisse rien faire. Les compagnies aériennes organisent des stages pour faire face à cette inquiétude latente qui gâche

ces types de déplacements. Ces stages vous permettent à la fois de comprendre comment cela fonctionne, de gérer votre stress pendant le trajet et de vous exercer à bord d'un simulateur. Un service complet !

⋯⋗ **Vous avez très peu de temps devant vous ?**
Et pas le choix : il vous faut monter dans l'avion maintenant. Ça pousse derrière vous ! Sortez votre calepin et notez tout ce que vous vivez : les étapes et les sensations associées. À force d'écriture, d'une part vous mettez à distance votre peur et, d'autre part... vous ne voyez pas le temps passer.

AÏE, J'AI PERDU MA ZÉNITUDE ! ***

On vous aide à retrouver ce bien si précieux :
un regard détendu sur la vie.
Douze exercices pratiques pour retrouver sa
zénitude illico presto et en situation.

LA ZÉNITUDE
AU BUREAU

La perfection serait d'exercer un métier de rêve (à commencer par nous laisser du temps pour réaliser autre chose que travailler). Un métier où les collègues seraient ultracool et solidaires, le boss aimable et compétent, et surtout où l'on prendrait plaisir à effectuer sa tâche quotidienne (en se marrant). Or, la perfection n'est pas toujours au rendez-vous. Énervant.

Pas de raison de s'agacer pour autant, on vous donne quelques patchs de survie en milieu professionnel hostile. (Attention, les piranhas du bureau n'ont qu'à bien se tenir !)

ÉVALUEZ LA PERSONNALITÉ
DE VOS COLLÈGUES

✳ LE CAS

Huguette est un vrai sous-marin.
Elle torpille tout ce qu'on fait. Si on le lui fait remarquer, on passe pour la parano de service ; si on ne dit rien, on passe jours et nuits avec Huguette dans la tête, et tout ce qu'on devrait lui dire mais qu'on n'arrive pas à lui exprimer. Y a-t-il une solution ?

✳ QUE SE PASSE-T-IL ?

⋯⋗ **Vous êtes face à un os !**
Vous êtes piégée par la personnalité d'Huguette que vous ne savez pas gérer. Le problème, c'est qu'au bureau, il n'y a pas que des Huguette, il y a aussi d'autres profils difficiles (on vous laisse lister les noms). En groupe, on est obligé de s'accommoder de personnalités au caractère délicat. Une bonne méthode consiste à les repérer. Définir leurs contours soulage et donne des idées pour régler le problème. (Non, vous ne rêvez pas, il y a des emmerdeurs patentés !)

✳ QU'EST-CE QUE JE FAIS ?

Un jeu amusant, normalement réservé aux psys, mais rien n'interdit de le pratiquer pour y voir plus clair sur ceux qui nous entourent (et sur nous-même).

L'American Psychiatric Association a établi une sorte d'inventaire des troubles de la personnalité les plus fréquemment rencontrés : le DSM-IV (Diagnostic and Statistical Manual-version 4). Seules les manifestations les plus aiguës sont décrites.

Amusez-vous à voir dans quelle catégorie ranger Huguette (elle peut d'ailleurs en occuper plusieurs à elle seule). Attention : il n'est pas question de faire de votre sujet l'une de vos patientes (surtout si vous n'êtes pas diplômée). Les troubles d'Huguette relèvent certainement plus d'un comportement tristement normal que d'une maladie. Mais le divertissement peut s'avérer éclairant :

À la recherche d'Huguette.
Aurait-elle une personnalité...

⋯⋯⋮ **Paranoïaque ?** Secrète, soupçonneuse, elle présuppose une intention malveillante aux actions de son entourage...

⋯⋯⋮ **Schizoïde ?** Plutôt froide, elle est détachée des autres et de leurs émotions dont elle a une toute petite palette d'expressions...

⋯⋯⋮ **Schizotypique ?** Sa conduite est étrange, et même franchement excentrique, elle se sent très mal à l'aise dans les relations de proximité...

⋯⋯⋮ **Antisociale ?** Elle n'a pas de barrières : invulnérable, elle n'a que faire des droits d'autrui...

⋯⟩ **Borderline ?** Elle est dans une très grande agitation, notamment relationnelle. Colérique, anxieuse, son humeur est instable...

⋯⟩ **Histrionique ?** Elle attend perpétuellement qu'on lui porte attention, elle cherche à séduire ou bien à attirer la compassion...

⋯⟩ **Narcissique ?** Autant elle a besoin d'être admirée – elle a des comportements grandioses –, autant elle est incapable d'éprouver de l'empathie pour son entourage...

⋯⟩ **Évitante ?** Elle fuie les émotions et les relations sociales. Maladivement timide, elle se sent toujours jugée par les autres... négativement...

⋯⟩ **Dépendante ?** L'autonomie lui fait peur. Passive, elle a besoin d'être prise en charge et se scotche très facilement aux autres...

⋯⟩ **Obsessionnelle compulsive ?** Elle a besoin de tout contrôler, de tout maîtriser. Ultra conformiste, elle est obnubilée par l'ordre...

⋯⟩ **Non spécifiée ?** Elle présente plusieurs signes de ces troubles, mais aucun très nettement...

Justement, elle ne serait pas un peu « non spécifiée », la Huguette ?

APPRENEZ
À DIRE NON !

✳ LE CAS

Boss GI Joe se prend pour Rambo.
Pas possible d'en placer une, GI Joe pense toujours avoir raison ;
d'ailleurs, il n'a même pas le temps d'écouter quelqu'un d'autre que
lui. Moralité ? Il faut crier pour se faire entendre. Et ça, on n'aime
pas, ou pire, on n'ose pas !

✳ QUE SE PASSE-T-IL ?

⋯▷ Vous ne savez pas poser de limites.
Vous craignez d'avoir à vous opposer. Plein de raisons à cela : un fond
de bonne éducation, par exemple (« Sois gentille, dis oui à la dame
qui quémande des bisous sur sa grosse joue ! »). Et du coup, précisément, la peur de passer pour la méchante de service est aussi un
bon ressort, celle qui n'est d'accord sur rien, ne rend pas service (« La
jaune, quoi ! »). Le désir d'être aimée, la peur de se faire remarquer,
le manque d'estime de soi sont aussi à porter sur la liste qu'on vous
laisse achever.

✳ QU'EST-CE QUE JE FAIS ?

Un stage commando intitulé « Osons dire non ! Oui ! Oui ! Oui ! ».
En six étapes.

⋯⋗ Le déroulement

1. J'apprends à écouter ma petite voix intérieure, celle qui crie « Non ! non ! non ! ».

Arrêtez de l'étouffer et laissez-lui le temps de passer de votre subconscient à votre conscient. Vous l'entendez ? Bien !

2. Je fais ma maligne : je temporise.

Qui vous a demandé de répondre tout de suite « N-a-on » ? Un coup d'œil à gauche, un coup d'œil à droite, la réponse est : « Personne ! ». Profitez-en pour ne pas affronter de face ce mot qui fait peur. Demandez, réclamez, exigez un temps de réflexion : « Désolée, je ne peux pas vous répondre tout de suite... Il faut d'abord que j'aille éteindre le feu sous la casserole de lait qui déborde ! », ou autre chose... À vous de trouver.

3. Je barbotte comme un poisson dans l'eau.

Ne vous noyez pas dans une cascade de justifications. Arrêtez de vouloir vous faire pardonner ce « non » qui pourrait bousculer votre langue au point de sortir tout seul de votre bouche sans avoir le temps de l'arrêter. Dites « non » et naturellement sa raison. Point barre !

4. Je positive la négative.

Les sept plaies d'Égypte ne vont pas s'abattre sur vous pour avoir manifesté un refus. Au contraire, dire « non » offre plein d'avantages : se faire respecter, s'imposer, gérer mieux son temps, répondre positivement à ses valeurs, évacuer le ressentiment (allez-y, complétez la liste des privilèges).

5. Je périphrase.

Si ce mot « non » vous paraît tellement gros qu'il est impossible que vous réussissiez à le prononcer tout de go, optez pour des phrases de transition du genre : « Désolée, je suis dans l'impossibilité de... » ou bien : « Malheureusement, je n'ai pas le choix... » Ce n'est pas un « non », mais c'est tout comme !

6. Je botte en touche.

Vous n'êtes pas obligée de laisser votre interlocuteur (celui qui va s'entendre opposer un refus) dans la panade non plus. Vous pouvez lui proposer une solution de substitution et en sortir grandie : « Non, je ne pourrai pas rester jusqu'à 22 h 00. Mais Huguette, qui est une vraie noctambule, sera certainement ravie de vous accompagner au gala de la SNMEAV-BTP à Susie-en-Brie. »

« Penser, c'est dire non. »

Alain

LA ZÉNITUDE
EN FAMILLE

Les barrières de la zénitude résistent mal en famille. On s'y sent en terrain conquis, et même acquis. Chacun enfermé dans ses rôles, on ne laisse pas passer grand-chose et l'on monte vite aux rideaux. Le dîner de Noël commence toujours bien, c'est généralement au moment de la dinde que ça se fragmente : les rebelles crient leur exaspération, les boudeurs s'enferment dans leur mutisme, les conciliateurs tentent de temporiser, et tout le monde est écœuré pour la bûche. Mais chaque année, on recommence. On doit aimer ça ? Pourtant, il existe des patchs « zen au foyer ».

FAITES VALOIR
VOTRE PLACE

✳ LE CAS

Maman a du poil aux dents.
Impossible de l'arrêter de balancer conseils, exhortations et recommandations. Comme si on avait 5 ans (et encore !). On a conscience d'être toujours sa petite fille, mais tout de même... On aimerait bien qu'elle reconnaisse l'adulte que nous sommes. Comment se faire respecter sans se fâcher définitivement ?

✳ QUE SE PASSE-T-IL ?

⋯⟡ Vous êtes prise en tenailles.
L'ambivalence fondamentale des relations familiales, entre amour et haine, est telle qu'il est bien difficile de trouver le ton juste. Vous ne voyez plus très bien comment faire valoir votre voix, si ce n'est par l'agressivité. Il suffit qu'on vous recommande de porter un cache-nez avant de sortir, et vous partez au quart de tour sur le thème : « Je suis une grande fille ! Ah ! non mais !... » Cela vous ferait presque tousser. Or postillonner votre agacement, ce n'est pas du tout zen. Le ravaler, non plus.

✳ QU'EST-CE QUE JE FAIS ?

⋯⟡ Essayez la CNV.
La CNV (« communication non violente »), méthode mise au point par Marshall Rosenberg, célèbre psychologue américain,

peut s'avérer tout à fait efficace en famille. Une manière, en douceur, de parler avec authenticité, d'exprimer votre ressenti et vos attentes, sans accuser. C'est mieux pour être entendue. Pour en savoir plus, visitez le site www.nvc-europe.org/france/

···⟩ **Tentez les jeux de rôles.**
Votre mère (ou père, sœur, frère, cousin...) n'est pas totalement fermée à toute expérimentation ?
Tentez, un jour de calme, de revenir sur les situations stressantes que vous partagez avec elle (lui, eux...). Et inversez les rôles.

* Proposez-lui de revivre une scène où elle tiendrait votre rôle et vous le sien. Le plus sérieusement possible. Vous devez chacune vous investir complètement dans votre personnage. Une manière très efficace de comprendre à quels ressorts nous obéissons. Et donc de mettre en perspective ce qu'elle attend de vous ou ce qu'elle exprime d'elle (de l'inquiétude, le besoin de se rassurer, peut-être ?) et, elle, de se mettre à votre place. Enfin !

* L'exercice est tout aussi intéressant avec une autre personne qu'un membre de votre famille (si l'option théâtre amateur lui fait peur). Demandez à quelqu'un qui vous connaît bien d'interpréter votre rôle et vous, vous jouerez celui de votre mère. Les enseignements que vous en tirerez permettront d'ajuster les bonnes réponses. Quand on se parle en famille, le sujet de conversation met en jeu bien des émotions cachées. C'est une manière de les voir émerger et de les décrypter.

ÉLABOREZ DE NOUVELLES
SOLUTIONS

✳ LE CAS

Les fêtes, ce n'est pas la joie !

Maux de dents le 24 décembre, migraine à la fête des Mères, gastro le jour de l'anniv' d'Odette, la sœurette... Bizarre, non, toutes ces coïncidences ? Au nom des sacro-saintes relations familiales, on n'ose pas s'échapper à Honolulu le jour de la fête des Pères et on n'a pas trouvé d'autre option que de somatiser. Pas zen !

✳ QUE SE PASSE-T-IL ?

⋯▸ **Vous êtes coincée.**

Vous ne savez pas où trouver d'autres solutions pour répondre à un problème qui vous soucie particulièrement. Au point d'en tomber malade ! De peur de mal faire ou d'être à l'origine de l'insatisfaction d'autrui, vous prenez la tangente (ce qui est effectivement une possibilité), mais vous n'êtes pas fière du résultat. D'autant que vous craignez d'être un jour démasquée. À moins que ce ne soit déjà fait ?

✳ QU'EST-CE QUE JE FAIS ?

Il n'y a jamais qu'une seule voie à la résolution d'un problème, contrairement à ce que l'on croit. Adoptez les solutions très pragmatiques mises au point dans le monde du travail pour élaborer des dénouements alternatifs. Dans le lot se trouve peut-être le bon, le vôtre.

Résoudre un problème en cinq étapes

····> **Décrivez le problème.**
D'où vient-il ? Quelles sont les émotions en jeu ? Qu'est-ce qui vous stresse ? Bref, identifiez la situation dans toutes ses composantes.

····> **Recherchez des solutions.**
Une sorte d'auto-brainstorming : laissez libre court à votre imagination, ne jugez rien, ne censurez aucune idée. Mettez sur papier tout ce que vous pourriez faire autrement, même si vous savez ou pensez que ce serait impossible.

····> **Évaluez les solutions.**
À chaque option, soupesez les avantages et les inconvénients, établissez son degré de faisabilité et d'efficacité.

····> **Agissez !**
Vous avez fait votre choix. Certes il n'est pas idéal, mais il pourrait représenter une alternative possible ? Foncez !

····> **Évaluez les résultats.**
Cela fonctionne ou pas ? Ne vous découragez pas si les conséquences ne sont pas à la hauteur de vos attentes. Recommencez l'opération depuis le début sous l'éclairage de cette nouvelle tentative.

Alors, finalement, vous êtes partie à Honolulu ?

« Le bonheur, c'est d'avoir une grande
famille, soudée, attentionnée et
protectrice... dans une autre ville. »

George Burns

LA ZÉNITUDE
EN AMITIÉ

On dit que les personnes qui savent fédérer autour d'elles des amitiés fortes sont d'excellentes candidates au bonheur. Sauf que, parfois, même les amis ne nous simplifient pas la vie. On s'y prend comment pour rester zen quand l'amitié déborde un peu sur les côtés ? Vite, un patch !

ALLÉGEZ
VOS RELATIONS

Séraphine et ses copines prennent la tête.
À croire que Séraphine ne sait parler de personne d'autre qu'elle. Et pendant des heures ! Au point de nous refiler le torticolis du téléphone. Un comble ! Et Amélie, toujours en manque de quelque chose : un tutu rose pour sa soirée déguisée, un tuyau juridique pour son procès locatif, 2 euros pour le café... Parfois, on aimerait bien les laisser plantées là...

┈┈▷ **Vous en faites trop.**
Les amis, c'est pour la vie ! Du coup, vous prenez tout : leurs qualités et leurs défauts sans pouvoir faire le tri. Vous n'osez pas vous affirmer et vous encaissez sans broncher leurs petits travers au point de les transformer parfois en gros défauts (qu'ils ne sont pas forcément). Allez, il n'y a aucune raison de ne pas faire preuve d'un peu plus de générosité. Envers vous !

Je mets en place un PPAEVMRZ : un « plan pluridisciplinaire pour s'alléger l'existence en vue d'un meilleur retour de zénitude ».

⋯⋮ Je vois large

Votre copain Antonin vient dîner régulièrement chez vous. Et toujours les mains vides ! Vous finissez par ne plus voir que ça ? Reprenez un peu de distance et ne vous focalisez pas sur un défaut qui cacherait toutes ses qualités. Refaites mentalement la liste de ce que vous lui reprochez et de ce que vous appréciez chez lui. Le compte est bon ? Oubliez ses mains vides.

⋯⋮ Je fais l'égoïste

Pas le monstre (d'égoïsme), mais son cousin. Il n'y a aucune raison de ne vouloir penser qu'aux autres. Votre petit « moi-moi » a besoin également de considération. Assurer la hotline 24 heures sur 24 et SOS Dépannage amitié n'est pas une obligation. Vous n'avez pas le temps ? Pas envie ? C'est très bien, vous en serez d'autant plus disponible, serviable et généreuse la prochaine fois.

⋯⋮ Je me marre

Prenez les petits travers de vos amis, ceux qui vous pèsent, sous l'angle humoristique. Ce sont vos potes, ils vont comprendre et en rigoler avec vous. Une excellente façon de désamorcer les situations qui pourraient s'envenimer (parce que vous préférez les étouffer plutôt que de les faire éclater au grand jour).

⋯⋮ Je suis royale

Faites preuve d'indulgence. Vous en avez pour vos amis, procédez de même avec vous. Rabaissez d'un cran votre niveau d'exigence. Vous n'avez pas fêté les 24 ans et demi de Juliette ? Elle ne va pas en mourir. S'en souvient-elle, elle, de votre date d'anniversaire ?

POSITIVEZ
VOS AMITIÉS

✳ LE CAS

On se sent comme un peu coupable.
On perçoit une petite pointe de contrariété qui empêche de se sentir parfaitement bien. Allez, on l'avoue : on a zappé l'invitation à fêter l'anniv' de Julie. Et on a plein d'excuses pour cela : on était étrangement fatiguée (une sorte de mononucléose fulgurante), la voiture était en panne (ou c'était tout comme, en tout cas on n'avait plus d'essence) et on avait un rapport de 125 pages à terminer (et d'ailleurs il n'était même pas commencé, c'est pour dire !). D'autres excuses ?

✳ QUE SE PASSE-T-IL ?

⋯⋗ Vous avez oublié de féliciter votre amitié.
Être absente le jour de l'anniversaire de votre amie (même pour d'excellentes raisons) vous a permis de mettre le doigt sur un sujet essentiel : la valeur de votre amitié. Elle est primordiale et pourtant vous n'y consacrez peut-être pas toute l'énergie dont elle est redevable. Ne pas avoir profité de l'occasion qui se présentait pour manifester votre affection vous rend plutôt triste. Cette histoire vous turlupine.
Ne dramatisez pas, cela se rattrape.

✳ QU'EST-CE QUE JE FAIS ?

Le bon professeur Martin Seligman*, le spécialiste mondial du bonheur, recommande la lettre de gratitude. On suit ses conseils.

⋯⟩ J'écris ma gratitude

De quoi s'agit-il ?

Au cours de ses recherches sur le bonheur, Martin Seligman a constaté à quel point la capacité d'aimer et d'être aimé était une force essentielle sur laquelle s'appuyer pour construire une vie plus épanouie, plus riche et plus heureuse. Pour atteindre ce haut degré de félicité, l'une de ses préconisations consiste à envoyer régulièrement une lettre de gratitude aux personnes que vous aimez.

* **Pensez à celles et ceux qui vous aident,** vous font rire, vous écoutent, vous encouragent et que vous n'avez jamais remerciés pour ces bienfaits.

* **Écrivez une lettre** (un courriel, un petit mot, une carte…) dans laquelle vous expliquerez très concrètement en quoi vous leur manifestez votre gratitude pour ce qu'ils vous apportent.

* **Envoyez votre missive.**
  L'exercice remplit d'allégresse celui qui reçoit comme celui qui donne. C'est du gagnant-gagnant.

* Mieux encore : **rédigez votre compliment et partez rendre visite à vos amis** pour leur lire à haute voix. Généralement, ça se termine dans des larmes… de joie.

---

* Son site Internet : www.authentichappiness.sas.upenn.edu/default.aspx

« La gratitude peut transformer
votre routine en jours de fête. »

William Arthur Ward

LA ZÉNITUDE
EN AMOUR

Sur ce terrain-là, avouons-le, les dérapages peuvent être terribles. On perd vite sa zénitude, surtout quand notre amoureux ramène à la maison des yaourts 100 % MG alors qu'il devrait savoir, depuis longtemps, que seuls les 0 % ont droit de séjour chez nous. Il pense à quoi l'amoureux, hein ? Peut-être à quelqu'un d'autre ?

Allez, suffit, on se « patche » zen pour ne pas se laisser déborder par ce qui n'a pas tant d'importance que cela, finalement...

DÉFINISSEZ
VOS OBJECTIFS LOVE

✳ LE CAS

Il a encore oublié !
Anniv', fêtes, cadeaux et même le repassage, c'est bien simple, le chéri ne pense à rien, il oublie tout ! Et il a quantité d'excuses à exposer pour se justifier : trop de travail, trop d'embouteillages, toute petite mémoire, beaucoup d'amour... Sauf que là, on perd son sang-froid. Et l'on se transforme en mégère sauvage et râleuse. D'un point de vue zen, on a bien conscience que ce n'est pas top. Mais quelle autre stratégie adopter ?

✳ QUE SE PASSE-T-IL ?

⋯ Vous perdez le nord.
Vous lui en voulez de ne pas être le Prince charmant, comme vous vous en voulez d'être obligée d'avouer qu'il vous arrive d'endosser les habits de la méchante sœur de Cendrillon à vos heures perdues. De ces masques tombés, vous ne ressortez pas grandis. Et plutôt que de reconnaître vos failles, tout le monde se retranche derrière une stratégie d'agressivité, oubliant ce pourquoi il avait décidé de faire appartement commun. Ne plus savoir si on s'aime, ça stresse !

Reprenez votre boussole et retrouvez le sens de votre relation pour ne pas vous laisser abattre par de petits incidents insignifiants mais qui entament sûrement votre affection.

···✧ **Branchez-vous sur le plaisir d'être à deux.**

C'est toujours l'histoire du verre à moitié vide ou à moitié plein. Quelle partie avez-vous décidé de regarder dans votre histoire d'amour ? En réalité, tout est question de perception. Votre relation est faite de nombre d'agacements, petits et grands, mais aussi de quantité de plaisirs, petits et grands. Rebranchez-vous sur ces derniers, car, dans la tourmente du quotidien, ils ont tendance à se faire oublier. Demandez-vous ce qui vous fait plaisir dans votre vie amoureuse. Ressortez votre calepin, et listez ces moments. Sont-ils toujours partagés, encore partagés, plus du tout partagés ? Et proposez à votre amoureux de faire de même. Comparez. Négociez. Agissez.

···✧ **Prenez de la hauteur. Redéfinissez vos objectifs.**

En matière amoureuse, comme pour tant d'autres sujets, on a vite fait de ne plus se poser la question essentielle : qu'est-ce que je veux vraiment ? Prenez le temps de vous demander quelles sont vos attentes avec votre amoureux pour l'avenir proche (pas à deux jours, plutôt à un ou deux ans) : tour du monde, bébés, home sweet home ? Et interrogez-vous sur les moyens d'y parvenir. Autrement dit, revenez à l'essentiel.

FAITES REVENIR
LE CALME

✳ LE CAS

Y a de l'orage dans l'air
Sont-ce les tensions au travail, le temps maussade, les soucis qui s'accumulent ? Peu importe la raison, le constat s'impose : c'est à la maison qu'on se défoule le mieux du stress accumulé dans la journée. Moralité : ça gronde dans les chaumières. Dommage ! Parce que cela n'aide pas à œuvrer pour de meilleures relations avec son compagnon.

✳ QUE SE PASSE-T-IL ?

⋯✧ **Vous êtes débordée par votre stress.**
Impossible de laisser sur le seuil de la porte votre état moral (et physique : mâchoires serrées, épaules remontées...). C'est bien normal. Y a-t-il un autre endroit que votre domicile pour faire tomber le masque de civilité que vous arborez durant la journée ? Votre entourage proche (en l'occurrence, votre amoureux) est certainement volontaire pour partager vos soucis et vous soutenir. En revanche, il est fort probable qu'il ne souhaite pas être agressé. Non ?

✳ QU'EST-CE QUE JE FAIS ?

Il serait illusoire de rêver faire l'impasse sur vos sensations et de souhaiter les garder pour vous toute seule. En revanche, vous pouvez adopter les méthodes de relaxation pour faire passer votre message

(« J'ai besoin de ton soutien... ») sans ses parasites (« Mais pourquoi c'est le foutoir dans la cuisine, qu'est-ce que j'ai fait pour mériter qu'on s'acharne comme ça sur moi ? »). Parce que vous êtes la seule à faire la relation entre vos soucis et votre énervement, accordez-vous le temps de réinviter le calme en vous.

···ᐧ Adoptez le training autogène de Johannes Schultz.

Mise au point dans les années 30 par ce médecin allemand, la méthode est un classique du genre. S'inspirant de l'hypnose, elle consiste à installer une relaxation profonde par le biais de l'autosuggestion. Comment ? En « éprouvant » les sensations de lourdeur, ou bien celles de chaleur comme celles de fraîcheur. En se concentrant sur ces différentes sensations physiques, on aboutit à mieux maîtriser sa respiration, son rythme cardiaque et les pulsations de son esprit. La pensée focalisée sur l'impression de lourdeur de son corps, par exemple, fait reculer les tensions musculaires.

···ᐧ Mettez-vous en condition

* Assise confortablement, les mains sur les cuisses, commencez par ressentir combien vos doigts sont lourds sur vos jambes.

* Pensez : « Mes doigts sont lourds, lourds... », « Ma main est lourde aussi, très lourde... », « Mes deux mains sont lourdes... ».

* Remontez en pensée le long de vos avant-bras, puis de vos deux bras. Ressentez comme ils vous pèsent...

* Faites de même en remontant de vos doigts de pieds jusqu'au bassin, puis ressentez en pensée comme votre dos est lourd ainsi que votre tête.

Vous pouvez pratiquer le même type d'exercice en invitant les sensations de chaleur et de fraîcheur. Les mains sur vos cuisses, ressentez la chaleur de vos doigts, remontez jusqu'aux épaules et ainsi de suite. Faites de même avec la fraîcheur et sentez-la parcourir votre corps de la tête aux pieds.

Mais rien ne vous oblige à détailler toutes les parties de votre corps. Éprouver la sensation de lourdeur sur vos bras peut suffire à installer le calme qui vous avait quittée. En revanche, plus vous pratiquerez cet exercice, plus il vous sera facile de le maîtriser rapidement.

« L'amour n'est pas seulement un
sentiment, il est un art aussi. »

Honoré de Balzac

LA ZÉNITUDE
EN MOI

Suivre un programme intensif en vue d'un retour prompt de zénitude n'empêche pas d'affronter quelques embûches. À commencer par son propre tempérament, par définition peu porté à la tranquillité. Le naturel reprend vite le dessus.
On vous offre quelques patchs supplémentaires pour faire face aux dangers de dernière minute.

REPRENEZ **CONFIANCE**

✳ LE CAS

C'est par où l'équilibre ?

Vous faites tout bien : vous vous endormez en écoutant votre CD « Gong from Angkor », vous vous réveillez sans oublier votre enchaînement de yoga pour saluer le soleil. Votre petit déjeuner est bio et léger. Et pourtant, il suffit qu'on vous grille la place dans le bus pour sentir votre esprit partir en boucle sur le thème : « C'est toujours à moi que ça arrive, je suis transparente ou quoi ? Et c'est pareil au bureau, quoi que je dise, je passe en dernier !... » Et vous voilà rouge d'énervement... contre vous !

✳ QUE SE PASSE-T-IL ?

⋯➧ **Vous manquez de confiance.**

Tous les outils du bien-être n'y feront rien (à votre sens de la zénitude) s'ils ne reposent pas sur un socle solide : la confiance en vous. Ce sentiment intérieur d'être capable de bien négocier les défis du quotidien. Vous rêvez de dépasser votre état de passivité et de rejoindre le camp de l'action (en l'occurrence, un bon coup de sac à main sur la tête du resquilleur) ? C'est possible !

✳ QU'EST-CE QUE JE FAIS ?

Je m'appuie sur les six piliers de la confiance en soi définis par le pape du Self-Esteem Movement (« estime de soi »), le Canadien Nathaniel Branden, dans son best-seller *Les Six Clés de la confiance en soi* (éd. J'ai Lu).

1. Je vis en conscience.

Dans l'instant (ici et maintenant), j'observe avec respect ce que je fais, mes actes, mes qualités comme mes imperfections. Et je reste ouverte et curieuse de ce qui m'entoure.

2. Je m'accepte.

Je respecte mes pensées, je n'essaie pas de les fuir ou de les diminuer. J'éprouve de la compassion pour les autres, pour ma famille et pour moi.

3. Je suis responsable.

Je suis ce que je suis, je ne cherche pas à trouver des responsables autres que moi ni à me demander « qui blâmer ? ». Je me regarde avec honnêteté.

4. Je m'affirme.

Je poursuis mes désirs, je respecte mes besoins, j'honore mes valeurs. Je suis authentique.

5. J'identifie mes buts.

Je les définis clairement et je m'appuie sur mes forces pour les atteindre.

6. Je suis intègre.

Je mets en concordance mes convictions avec ce que je dis et ce que je fais.

Il ne reste plus qu'à jouer !

RETROUVEZ **CE QUE VOUS AIMEZ**

✳ LE CAS

Au secours ! Un week-end toute seule...

On en rêvait et pourtant c'est la panique à bord. Ce long programme de solitude nous plonge dans un désarroi terrible. On pensait avoir besoin de temps libre, sans aucune obligation, mais manifestement cela ne nous convient plus. On serait même plutôt au bord du désespoir. On s'en sort comment de ce stress de fin de semaine ?

✳ QUE SE PASSE-T-IL ?

⋯⟩ **Vous ne savez plus ce que vous désirez vraiment !**

Prise dans le tourbillon de la vie, vous vous laissez porter par ce qui arrive et vous perdez de vue ce qu'au fond vous appréciez vraiment dans l'existence. Au point de vous tromper sérieusement sur ce dont vous avez besoin pour vous ressourcer ou tout simplement vous faire plaisir. Il y a pourtant des solutions pour y voir plus clair.

✳ QU'EST-CE QUE JE FAIS ?

⋯⟩ **Reprenez la main :** regardez le tableau de votre vie. C'est ce que propose le psycho-philosophe américain Tal Ben-Shahar* (page suivante). En quoi cela consiste-t-il ? À lister les activités qui vous procurent le bonheur dont vous avez besoin, à évaluer la part de ces activités dans votre existence et la façon d'accroître cette part. Comment ? En laissant poindre la petite voix intérieure en vous, qui sait ce que vous aimez vraiment. Et en faisant un petit dessin. (Rien de très arty malheureusement, plutôt le style tableur Excel. Mais les gribouillages sont bienvenus...)

···▷ **Mon tableau de vie**

* **Observez vos activités** sur deux semaines.

* **Notez la manière dont votre emploi du temps se décompose.**
  Aujourd'hui : 9 heures de travail, 45 minutes de téléphone, 17 minutes de salle de bains, 2 minutes avec un sandwich...

* À la fin de chaque semaine, **regroupez toutes ces activités par thème** (travail, famille, amour, loisirs...) et notez le temps que vous consacrez à chacune d'elles : 45 heures de travail, 1 heure de copinage, 15 minutes de maquillage...

* **Affectez à vos activités une note de satisfaction** (par exemple de 1 à 5) pour décrire le plaisir que vous y avez pris et si ces activités offraient suffisamment de sens dans votre existence. Par exemple : travail 49 heures, plaisir 2, sens 4.

* Puis **précisez si vous aimeriez consacrer plus ou moins de temps** à ces activités en fonction de votre indice de satisfaction. Aidez-vous des signes + et − (s'il n'y a rien à changer, utilisez un signe =). Dans nos exemples : travail 49 heures, plaisir 2, sens 4, − − . Copines 15 minutes, plaisir 5, sens 4, + + +.

* **Vous avez le tableau sous les yeux** ? En un clin d'œil, vous retrouvez les activités qui vous plaisent, ou pas, et pour lesquelles il serait nécessaire d'en augmenter, ou pas, les proportions dans votre vie.

ÉMETTEZ **DES HYPOTHÈSES**

✳ LE CAS

J'ai besoin de me redynamiser.

Creux de l'hiver + dossier Dechezmortel à finir + soucis d'argent = grosse déprime à l'horizon. Tous les fronts semblent envahis d'idées sombres, de perspectives grises et d'espoirs vains. Ce n'est pas la frite. Pour ne pas sombrer dans l'angoisse, comment se remonte-t-on le moral en 15 minutes chrono ?

✳ QUE SE PASSE-T-IL ?

⋯⟡ **Vous avez perdu le sens du rebond.**

L'accumulation d'événements peu réjouissants vous entraîne dans une spirale de pensées négatives. Vous analysez bien la situation, les mécanismes qui se mettent en place dans votre esprit et qui vous entraînent sur cette pente délicate. Mais vous ne savez plus comment freiner, ni comment vous retourner.

✳ QU'EST-CE QUE JE FAIS ?

Prenez appui sur tout ce qui bouge :

⋯⟡ **Soyez spontanée.**

On vous propose une sortie ciné ? Il fait froid et gris mais tant pis, lancez-vous hors de votre couette. Sautez sur les occasions de vous divertir en toute simplicité.

⋯▸ **Méditez.**

N'oubliez pas d'accorder quelques minutes à votre esprit pour qu'il se libère des tensions accumulées. Tant pis si l'exercice ne dure que peu de temps ; en revanche, ce qui est important, c'est sa régularité. Il en sera d'autant plus apaisant.

⋯▸ **Remerciez la vie.**

Quelle joie d'être là ! Malgré les obstacles, les chagrins, les déboires, regardez comme il y a quantité de raisons de se réjouir. Prenez le temps de les recenser pour ne pas les négliger.

⋯▸ **Jouez aux cadavres exquis.**

En version développement personnel. C'est une technique mise au point par notre psy canadien, Nathaniel Branden*. Il propose à ses patients en quête d'action de prendre une petite dizaine de phrases inachevées et de les terminer comme bon leur semble.

* **Inscrivez sur une feuille :** « Et si je devais être heureuse, je... », « Et si je devais être un peu plus responsable au bureau, je... », « Et si je devais mieux m'impliquer dans ma vie amoureuse, je... ». À vous d'inventer celles qui vous concernent.

* **Répondez par écrit sans trop réfléchir**, de manière quasi automatique.

* **L'exercice doit être pratiqué tous les jours** pendant une semaine avec la même série de phrases. La régularité est essentielle, car elle permet de comprendre comment vos pensées évoluent, de découvrir des connections inattendues et surtout d'observer comment elles influencent vos actes très concrètement.

Nathaniel Branden prétend qu'en réalité nous connaissons ces réponses, mais le fait de les lire à plusieurs reprises leur donne la solidité qui permettra de prendre appui sur elles pour agir.

* www.nathanielbranden.com

PRÉCISEZ **VOS PRIORITÉS**

✳ LE CAS

Trop tard, je suis débordée.

Dans son emploi du temps, on avait bien inscrit en toutes lettres : prendre quelques instants rien que pour soi. À croire qu'ils l'ont tous lu – le programme ! – et qu'une grande conspiration s'est mise en place à notre insu. Résultat ? Le temps refuse absolument de se laisser attraper. Entre les copines en désespoir d'amour auxquelles il faut remonter le moral, les démarches pour prendre deux malheureux jours de vacances à plus de 15 km de chez soi, la réparation de la voiture et les séances chez le dentiste, on le fait quand son aérobic ?

✳ QUE SE PASSE-T-IL ?

⋯⋗ Vous ne maîtrisez plus vos objectifs.

Vous êtes tellement débordée que même en faisant l'effort d'inscrire à votre emploi du temps quelques minutes pour vous, vous les voyez s'échapper inexorablement sous vos yeux. La faute aux autres ? Pas forcément.

✳ QU'EST-CE QUE JE FAIS ?

On vous aide à ruser avec le temps et avec vous-même.

⋯⋗ Écoutez vos biorythmes.

Commencez par bien vous connaître : maîtrisez votre horloge interne.
L'avantage ? Ne pas perdre son énergie inutilement. Vous êtes au top de votre forme physique et intellectuelle, le matin, entre 10 h et midi

(logique, c'est le cas de presque tout le monde) ? Réservez ce temps à des tâches difficiles qui nécessitent de la concentration ou une grande vigilance physique. Ne le dispersez pas dans des activités qui ne vous rapporteront rien. (On vous appelle pour discuter du dernier film vu la veille ? Reportez la conversation à 15 h, une heure généralement très molle.) Sachez aussi qu'il est fort vraisemblable que vous aurez un retour de forme vers 18 ou 20 h après le coup de pompe du début de journée (à prendre en compte dans votre organisation).

···⟩ **Maîtrisez votre temps.**
La journée défile sous vos yeux sans que vous ayez eu le temps de relever la tête ? Dites « stop » ! Faites comme si vous étiez à l'école. Instituez une petite pause de 10 minutes maxi toutes les heures pour recharger vos batteries (un verre d'eau, une discussion anodine, un coup de peigne...). Vous en ressortirez d'autant plus efficace. Et méfiez-vous de vos automatismes, ils ne vous rendent pas forcément service pour bien gérer votre temps.

* Vous avez tendance à commencer par l'urgent. Avez-vous traité l'important ?
* Vous vous consacrez aux tâches les plus faciles. Avez-vous d'abord bien géré le difficile ?
* Vous vous jetez sur le plus rapide. Mais aurez-vous l'énergie d'aborder ce qui demande plus de temps ?
* Vous faites tout toute seule. Mais ne serait-ce pas plus efficace de déléguer (même un tout petit peu...) ?
* Vous ne savez pas dire non. Pourtant, est-ce bien raisonnable si vous voulez avoir le temps de vous préoccuper de vos affaires ?